101 SCOTTISH SONGS

Scotia Books

101 SCOTTISH COUNTRY DANCES
SONGS FROM ROBERT BURNS
SCOTTISH HIGHLAND GAMES
TARTANS AND HIGHLAND DRESS
THE HIGHLANDS IN HISTORY
101 SCOTTISH SONGS
SCOTLAND'S HERALDRY
99 MORE SCOTTISH COUNTRY DANCES

101 SCOTTISH SONGS

selected by

NORMAN BUCHAN

COLLINS
GLASGOW AND LONDON

SCOTIA BOOKS

GENERAL EDITOR : J. B. FOREMAN

First published, 1962
Latest reprint, 1967

CONTENTS

ACKNOWLEDGMENTS

The publishers are grateful to the following composers, owners of copyrights, publishers and members of academic institutions who have given permission for songs to be printed in this book.

MRS. BARROW and P. SCROGIE LTD. for material from Gavin Greig's *Folk-Song of the North East.*

MR. DOMINIC BEHAN for *Kelvin Lass.*

J. B. CRAMER & CO. LTD., LONDON, for *The Tarrin' O' The Yoll.*

J. CURWEN & SONS LTD., for *Lewis Bridal Song* and *Mingulay Boat Song* from *Songs of the Isles* edited by Hugh S. Roberton.

FRED DALLAS and *Sing* for *The Arbroath Tragedy.*

FILMUSIC PUBLISHING CO. LTD., for *The Wee Magic Stane.*

MR. GEORGE FRASER and MR. KENNETH GOLDSTEIN for *'Twas In The Toon O' Kelso.*

MR. HAMISH HENDERSON and the late PIPE-MAJOR JAMES ROBERTSON for *The Highland Division's Farewell to Sicily.*

MR. HAMISH HENDERSON for the material in whole or in part, in the following songs: *Jamie Raeburn, Tae The Beggin', Twa Recruitin' Sairgeants, The Rovin' Ploughboy, Macpherson's Rant, Skippin' Barfit Thro' The Heather, Cuttie's Wedding, The Gallowa Hills, Ma Wee Gallus Bloke, The Bleacher Lass O' Kelvinhaugh, The Gaberlunzie Man, The Haughs of Cromdale, The Lichtbob's Lassie,* and *Rhynie.*

MR. ANDREW HUNTER for *Baron James McPhate.*

MR. ALEXANDER KEITH for *Johnnie O'Braidiesley* and for the use of other texts also from *Last Leaves of Traditional Ballad Airs* collected by Gavin Greig.

MR. JOSEPH KENT for *Rothesay-O.*

JAMES S. KERR (Music Publishers) for *A Pair O' Nicky Tams* from Kerr's *Buchan Bothy Ballads, McGinty's Meal and Ale* from Kerr's *Cornkisters,* and *Scotland the Brave.*

EWAN MCCOLL for *Jamie Foyers.*

JOHN MURRAY LTD. for *Tam I' The Kirk* from *Songs of Angus.*

PATERSON PUBLICATIONS LTD. for *The Lum Hat Wantin' The Croon.*

MR. ANDREW ROBBIE and MR. KENNETH S. GOLDSTEIN for *Will Ye Gang Love?*

THE SHETLAND FOLK SOCIETY for *The Bressay Lullaby* from *The Shetland Folk Book, Vol. I.*

MISS AGGIE STEWART for *Birnie Bouzle.*

MISS LUCY STEWART and MR. KENNETH S. GOLDSTEIN for *O I Am A Miller Tae My Trade.*

JOHN WATT for *My Pittenweem Jo.*

The publishers would also like to thank Ewan McColl and The Workers' Music Association, publishers of *Scotland Sings*, for permission to reprint material.

The following songs, either in whole or in part, have been printed by permission of the School of Scottish Studies to whom enquiries about their future commercial use should be made.
Jamie Raeburn, Tae The Beggin', The Gaberlunzie Man, The Bleacher Lass O' Kelvinhaugh, Will Ye Gang, Love?, Twa Recruitin' Sairgeants, 'Twas in The Toon O' Kelso, The Rovin' Ploughboy, O I Am A Miller Tae My Trade, Macpherson's Rant, Skippin' Barfit Thro' The Heather, Cuttie's Wedding, The Gallowa' Hills, The Lichtbob's Lassie, Ma Wee Gallus Bloke and *Rhyne*.

While we have made every effort to trace all holders of copyright we shall be glad to learn of any other instances where acknowledgment is due.

8

INTRODUCTION

The task of editing a small book of this kind is immense, for one is faced with the mass of Scottish song, perhaps the richest treasury of all Europe. This must, of course, be a personal choice. It is a collection of one hundred and one songs, each of which, the editor feels, has something to say to us to-day. It may be a song which has stood the test of time, like some of our great ballads : it may be a little four-line snatch that expresses something of the wit or defiant cheek of the children in our city streets. But it is here because people sing it ; because people have laughed or loved or grieved under its spell. And so we have songs that have been printed in our earliest collections of Scottish song, songs that have enlivened the weary darg of the ploughman as his coulter dug and rolled into the thick rich earth of the Buchan farmland, songs that have helped once more to set our youngsters singing for themselves.

For this has been one of the most interesting musical phenomena in recent years, this re-discovery by our young folk of their own nation's songs. In an age apparently dominated by commercial jingles and the short-lived products of Tin Pan Alley, increasing numbers of youngsters have found expression and satisfaction in the folk-heritage of Scotland, and among the " art " songs passing (or already passed) into, if not properly a " folk " tradition, at any rate a popular tradition.

But the problem was not merely one of personal choice. It is true to say that much of Scottish song in recent years has been dominated both in texts and the musical arrangements by nineteenth century concepts. The genteel requirements of the Victorian drawing-room have little in common with our youngsters to-day. Worse, this was also, as no Scotsman needs to be reminded, the period of the flourishing of the Kailyard School which perpetuated a picture of Scotland that was sentimental, mawkish and totally false. In our poetry (say, McDiarmid and McCaig), our novels (George Douglas Brown or Lewis Grassic Gibbon), in the visual arts, in almost every aspect of our cultural life, a determined and on the whole successful effort has been made to smash the last vestiges of " kailyairdery." But this has not been true of our song. Not a glen but it has its but and ben. Not a granny but she is old and frail and we have to be kind to her. And what a waving of tartan around the hieland hames, ain wee hooses, stars o' Rabbie Burns. We cannot help but feel that the Glasgow street cry, " Ye canny shove yer granny aff the bus," has more of truth and reality than the slobbering over her in a distant and imaginary hieland hame.

This being so, certain considerations forced themselves upon us. Firstly, we had to reject " kailyairdery "; it was neither fair to Scotland nor to song. And secondly, we sought to prepare a collection which might help in some slight way in changing the popular repertoire in a direction more suited to the needs of the present time. In doing this we were mindful of the wise words of the great Scottish song-collector, Gavin Greig, half a century ago : " The true and living minstrelsy of the Scottish people was traditional and was not to be found in books and collections of so-called Scottish song."

Accordingly, while we have taken a fresh look at the great orthodox song collections of the past and have drawn heavily upon them, we have also added or strengthened three other sections. The first of these is folksong proper, including the big ballads. By this we mean traditional song with texts and tunes direct from " field " singers or from collections made directly from field singers. Secondly, we have included a number of recent songs in the folk idiom. This strikes us as one of the healthiest developments in the recent folk-song revival. And, indeed, if the revival is to continue and not degenerate into mere antiquarianism, fresh creation must occur in this way. Thirdly, there are some songs of the industrial period ; from the streets of our cities and especially from the children whose playgrounds are these streets.

10

To the concert-style singer, it is hoped that much of what we print here will be new. It will therefore expand his repertoire by bringing to his notice some little-known, in some cases virtually unknown, material which has come to light in recent collecting or has appeared only in collections for the scholar or the folk enthusiast. The folk singer may in turn discover that, stripped of the piano arrangements of both eighteenth and nineteenth century editors, some of our " art " songs may be readily assimilated into the folk tradition.

This is not, however, a book for skilled performers only. It is our hope that it will be, in the best sense, popular. We have included a number of songs without which no Scottish collection might seem complete. But we have included many more which we hope will become as firmly fixed in the Scottish repertoire as these.

For this reason we have decided to print the songs without piano accompaniment. This is obviously correct in the case of " folk " material. Vaughan Williams quotes a Dorset countryman who was listening to a professional singer of folk songs : " Of course, it's nice for him to have the piano when he's singing, but it does make it awkward for the listener." We have extended this principle to the other material as well, seeing the book as a means of " picking up " songs rather than as a folio for the expert performer. There is one exception, *Tam i' the Kirk*. Here, we felt, was a song that depended a good deal on its accompaniment and had been absent for too long from the orthodox concert repertoire. We hope that its presentation here with accompaniment may help to give it fresh currency.

On the other hand we have put in a simple guitar chording in some cases where we thought it suitable. The guitar is a more plastic instrument than the piano and tends to follow rather than control the " feel " of the air. Besides, it is the instrument of the young.

As regards the folk material one point cannot be stressed too strongly. There is no such thing as the " correct " or the " definitive " version in terms of either tune or text. We cannot claim that the versions we have published

11

are the best. We believe they are good versions, and that is all. Indeed, this book would be defeating its purpose if these songs tended to be stratified in the form in which we have published them here. On the contrary we hope that, by giving them wider circulation in one form, more forms will proliferate. Again, it is impossible for the printed page to give the variations and embellishments, frequently from verse to verse, of the true traditional singer. We have therefore tried as it were to give the basic form of the tune as sung. In addition we have added a brief appendix giving a guide to some recorded folk songs so that the oral tradition can be maintained.

Here I should like to thank the School of Scottish Studies of the University of Edinburgh for their co-operation and, above all, Hamish Henderson, Senior Research Fellow on the staff of the School. Over the last ten years he has not only added enormously to the store of collected folk-music in Scotland but has, through the editing of records and his interest and guidance of young singers in Edinburgh and beyond, ensured that the best of our oral traditions should be continued. To him I owe a great deal of my own interest in Scottish song and I should like to take this opportunity of acknowledging this debt.

Some of the material in this book appeared for the first time in my " Bothy Ballads " column in the *Weekly Scotsman*. I have to thank The Scotsman Publications and the editor of the *Weekly Scotsman*, James Adam, for permission to use this material. I should stress, however, that all the songs printed have been thoroughly revised and in almost every case have been subject to change of one kind or another.

More influences, direct and indirect, have gone into this small compilation than it is possible for me to list. The one great debt that all of us interested in Scottish song owe is to the thousands of ordinary people, pedlars, ploughmen, weavers, " the true and living minstrelsy of the Scottish people " who have created our songs and kept them alive. In thanking the traditional singers mentioned as sources in this book, Jeannie Robertson,

Lucy Stewart, Jimmy McBeath, Aggie Stewart, Davy Stewart, John McDonald and others, we are thanking them all; and the debt can best be paid by learning, singing, and passing on their songs.

There are, too, the hordes of Glasgow youngsters, usually trailing guitars, who came chapping at my door looking for words and tunes; above all the members of Rutherglen Academy Ballads Club who showed me that a love of the best in Scottish song can go hand in hand with a liking for guitar strumming, banjo-picking and American hoe-downs.

To the American scholar, Kenneth S. Goldstein, I owe a good deal; not least in introducing me to the singing Stewart family of Fetterangus.

To Scottish Television too, for their Director, James Sutherland, the book owes something; in his programme "Jig Time," The Reivers, with whom I worked for two years, were able to demonstrate that a love and care for the authentic could be combined with a mass popularity.

Finally, my thanks must go to my three collaborators, Robert Campbell, of the Glasgow Folk Song Club, who added the guitar chords, Miss O. Roberts of Glasgow School of Art who was responsible for the lettering and drawing of the music and to Miss E. S. Murphy. Miss Murphy has had a difficult task, not least in coping with my no doubt impossible demands upon musical notation. She has been the soul of patience in transcribing and hammering out a singable form from singers whose decorations and variations are their great assets but a transcriber's nightmare.

NORMAN BUCHAN

AE FOND KISS

BURNS

Ae fond kiss and then we se-ver! Ae fare-weel, and then for ev-er! Deep in heart-wrung tears I'll pledge thee, war-ring sighs and groans I'll wage thee.

Who shall say that Fortune grieves him,
While the star of hope she leaves him?
Me, nae cheerfu' twinkle lights me,
Dark despair around benights me.

I'll ne'er blame my partial fancy:
Naething could resist my Nancy!
But to see her was to love her,
Love but her, and love for ever.

Had we never loved sae kindly,
Had we never loved sae blindly,
Never met—or never parted—
We had ne'er been broken-hearted.

Fare-thee-weel, thou first and fairest!
Fare-thee-weel, thou best and dearest!
Thine be ilka joy and treasure,
Peace, Enjoyment, Love and Pleasure!

Ae fond kiss, and then we sever!
Ae fareweel, alas, for ever!
Deep in heart-wrung tears I'll pledge thee,
Warring sighs and groans I'll wage thee.

WILLY'S DROWN'D IN YARROW

From RITSON'S *Scotish Songs*

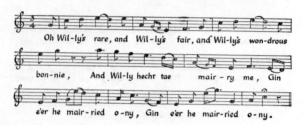

Oh Wil-ly's rare, and Wil-ly's fair, and Wil-ly's won-drous bon-nie, And Wil-ly hecht tae mair-ry me, Gin e'er he mair-ried o-ny, Gin e'er he mair-ried o-ny.

Yestreen I made my bed fu' braid,
This night I'll mak it narrow;
For a' the live-lang winter night
I lie twin'd of my marrow, I lie, etc

Oh cam you by yon water-side?
Pu'd you the rose or lily?
Or cam you by yon meadow green?
Or saw you my sweet Willy? Or saw you, etc.

She sought him east, she sought him west,
She sought him braid and narrow;
Syne, in the cleaving o' a craig,
She found him drown'd in Yarrow. She found, etc.

BONNIE GEORGE CAMPBELL

Tune as sung by RORY & ALEX McEWAN

Traditional

Hie up-on Hie-lands and laigh up-on Tay, Bon-nie George Camp-bell rade oot on a day. Sadd-led and bri-dled, sae bon-nie rade he, Hame cam' his guid horse but ne-ver cam' he.

Saddled and booted and bridled rade he
A plume tae his helmet, a sword at his knee
But toom cam' his saddle a' bluidy tae see,
Hame cam' his guid horse but never cam' he.

Doon cam' his auld mither greetin' fu' sair,
Oot cam' his bonnie wife rivin' her hair
" My meadows lie green and my corn is unshorn
My barn is tae bigg and my baby's unborn."

Hie upon Hielands and laigh upon Tay,
Bonny George Campbell rade oot on a day,
Saddled and bridled, sae bonny rade he,
Hame cam' his guid horse but never cam' he.

SCOTS, WHA HAE

Tune: *Hey Tutti Taitie*

BURNS

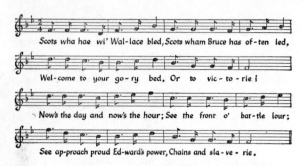

Scots wha hae wi' Wal-lace bled, Scots wham Bruce has of-ten led,

Wel-come to your go-ry bed, Or to vic-to-rie!

Now's the day and now's the hour; See the front o' bat-tle lour;

See ap-proach proud Ed-ward's power, Chains and sla-ve-rie.

Wha will be a traitor knave?
Wha can fill a coward's grave?
Wha sae base as be a slave?—
    Let him turn, and flee!

Wha for Scotland's King and Law
Freedom's sword will strongly draw,
Freeman stand or freeman fa',
    Let him follow me!

By Oppression's woes and pains,
By your sons in servile chains,
We will drain our dearest veins
    But they shall be free!

Lay the proud usurpers low!
Tyrants fall in every foe!
Liberty's in every blow!
    Let us do, or dee!

WILLIE BREWED A PECK O' MAUT

BURNS

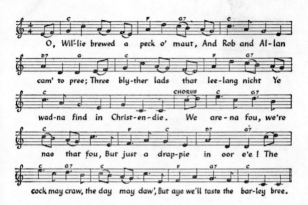

O, Wil-lie brewed a peck o' maut, And Rob and Al-lan cam' to pree; Three bly-ther lads that lee-lang nicht Ye wad-na find in Christ-en-die. We are-na fou, we're nae thar fou, But just a drap-pie in oor e'e! The cock may craw, the day may daw', But aye we'll taste the bar-ley bree.

Here are we met three merry boys,
  Three merry boys I trow are we;
And monie a night we've merry been,
  And monie mae we hope to be!

It is the moon, I ken her horn,
  That's blinkin in the lift sae hie:
She shines sae bright to wyle us hame,
  But, by my sooth, she'll wait a wee!

Wha first shall rise to gang awa,
  A cuckold, coward loun is he!
Wha first beside his chair shall fa',
  He is the King amang us three!

19

JOHNNIE COPE

ADAM SKIRVING

Cope sent a challenge frae Dunbar,
Saying "Charlie meet me an' ye daur,
An' I'll learn ye the art o' war,
If ye'll meet me in the morning."

O Hey! Johnnie Cope, are ye waukin' yet?
Or are your drums a-beating yet?
If ye were waukin' I wad wait,
Tae gang tae the coals in the morning.

When Charlie looked the letter upon,
He drew his sword the scabbard from,
Come, follow me, my merry men,
And we'll meet Johnnie Cope in the morning.

Now Johnnie be as good as your word,
Come, let us try baith fire and sword,
And dinna flee like a frichted bird,
That's chased frae its nest i' the morning.

When Johnnie Cope he heard o' this,
He thocht it wadna be amiss,
Tae hae a horse in readiness,
Tae flee awa in the morning.

Fye now, Johnnie, get up an' rin,
The Highland bagpipes mak' a din,
It's better tae sleep in a hale skin,
For it will be a bluidie morning.

When Johnnie Cope tae Dunbar cam,
They speired at him, " Where's a' your men ? "
"The de'il confound me gin I ken,
For I left them a' in the morning."

Now Johnnie, troth ye werena blate,
Tae come wi' news o' your ain defeat,
And leave your men in sic a strait,
Sae early in the morning.

In faith, quo Johnnie, I got sic flegs
Wi' their claymores an' philabegs,
Gin I face them again, de'il brak my legs,
So I wish you a' good morning.

MAGGIE LAUDER

attrib. Francis Sempill

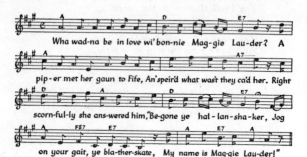

Wha wad-na be in love wi' bon-nie Mag-gie Lau-der? A pip-er met her gaun to Fife, An' speir'd what was't they ca'd her. Right scorn-ful-ly she ans-wered him, "Be-gone ye hal-lan-sha-ker, Jog on your gait, ye bla-ther-skate, My name is Mag-gie Lau-der!"

" Maggie," quo' he, " and by my bags,
I'm fidgin' fain to see thee ;
Sit down by me, my bonnie bird,
In troth I winna steer thee.
For I'm a piper to my trade,
My name is Rob the Ranter ;
The lasses loup as they were daft
When I blaw up my chanter."

" Piper," quo' Meg, " ha'e you your bags ?
Or is your drone in order ?
If ye be Rob, I've heard o' you,
Live you upon the border ?
The lasses a', baith far and near,
Ha'e heard o' Rob the Ranter ;
I'll shake my foot wi' right guid will,
Gif you'll blaw up your chanter."

Then to his bags he flew wi' speed,
About the drone he twistet ;
Meg up and wallop'd o'er the green,
For brawly could she frisk it.
" Weel done," quo' he—" play up," quo' she,
" Weel bobb'd," quo' Rob the Ranter ;

" 'Tis worth my while to play indeed,
When I ha'e sic a dancer."

" Weel ha'e you play'd your part," quo' Meg,
" Your cheeks are like the crimson ;
There's nane in Scotland plays sae weel,
Since we lost Habbie Simpson.
I've liv'd in Fife, baith maid and wife,
These ten years and a quarter ;
Gin ye should come to Anster fair,
Spier ye for Maggie Lauder."

MINGULAY BOAT SONG

Trad. Gaelic arr. Roberton

HUGH S. ROBERTON

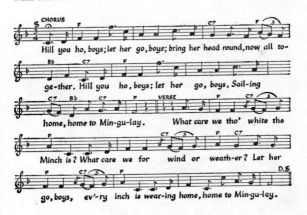

Hill you ho, boys; let her go, boys; bring her head round, now all to-
ge-ther. Hill you ho, boys; let her go, boys, Sail-ing
home, home to Min-gu-lay. What care we tho' white the
Minch is? What care we for wind or weath-er? Let her
go, boys, ev'-ry inch is wear-ing home, home to Min-gu-lay.

Wives are waiting on the bank,
Or looking seaward from the heather ;
Pull her round boys ! and we'll anchor,
Ere the sun sets at Mingulay.

A MAN'S A MAN

BURNS

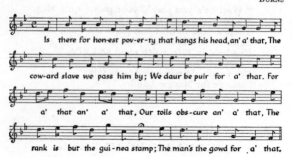

Is there for hon-est pov-er-ty that hangs his head, an' a' that, The
cow-ard slave we pass him by; We daur be puir for a' that. For
a' that an' a' that, Our toils obs-cure an' a' that, The
rank is but the gui-nea stamp; The man's the gowd for a' that.

What though on hamely fare we dine
Wear hodden grey, an' a' that,
Gie fools their silks and knaves their wine
A man's a man for a' that.
For a' that, an' a' that,
Their tinsel show an' a' that,
The honest man, tho' e'er sae poor,
Is king o' men for a' that.

Ye see yon birkie ca'd " a lord "
Wha struts, an' stares, an' a' that ?
Tho' hundreds worship at his word,
He's but a cuif for a' that.
For a' that, an' a' that,
His ribband, star, an' a' that,
The man o' independent mind,
He looks and laughs at a' that.

A prince can mak' a belted knight
A marquis, duke, an' a' that !
But an honest man's aboon his might—
Guid faith, he mauna fa' that !
For a' that, an' a' that,
Their dignities, an' a' that,
The pith o' sense an' pride o' worth
Are higher rank than a' that.

Then let us pray that come it may
(As come it will for a' that)
That sense and worth o'er a' the earth
Shall bear the gree an' a' that !
For a' that, an' a' that,
It's comin' yet for a' that,
That man to man the world o'er
Shall brithers be for a' that.

LEWIS BRIDAL SONG

Trad. arr. Roberton   HUGH S. ROBERTON

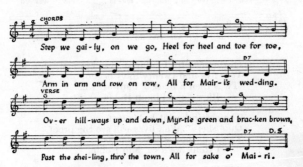

Step we gai-ly, on we go, Heel for heel and toe for toe,
Arm in arm and row on row, All for Mair-i's wed-ding.
Ov-er hill-ways up and down, Myr-tle green and brac-ken brown,
Past the shei-ling, thro' the town, All for sake o' Mai-ri.

Red her cheeks as rowans are,
    Bright her eye as any star,
Fairest o' them a' by far,
    Is our darling Mairi.

Plenty herring, plenty meal,
    Plenty peat to fill her creel,
Plenty bonnie bairns as weel ;
    That's the toast for Mairi.

25

THERE WAS A LAD

BURNS

There was a lad was born in Kyle, But what-na day, O what-na style, I doubt it's hard-ly worth the while to be sae nice wi' Rob-in.

CHORUS

For Ro-bin was a rov-in' boy, A ran-tin', rov-in', ran-tin', rov-in', Ro-bin was a ro-vin' boy; Oh ran-tin' rov-in' Ro-bin.

Our monarch's hindmost year but ane,
Was five-and-twenty days begun,
'Twas then a blast o' Janwar' win'
    Blew hansel in on Robin.

The gossip keekit in his loof,
Quo' she: " Wha lives will see the proof,
This waly boy will be nae coof ;
    I think we'll ca' him Robin.

" He'll hae misfortunes great an' sma',
But ay a heart aboon them a'.
He'll be a credit till us a':
    We'll a' be proud o' Robin !

" But sure as three times three mak nine,
I see by ilka score and line,
This chap will dearly like our kin',
    So leeze me on thee, Robin !

" Guid faith," quo' she, " I doubt you gar
The bonnie lasses lie aspar ;

But twenty fauts ye may hae waur—
So blessins on thee, Robin ! "

THERE WAS A LAD

NORMAN BUCHAN

There was a lad was born in Kyle
But ye widna ken it in St. Giles,
For there they think na worth their while
Tae hae a plaque for Robin.

CHORUS

For Robin was a rovin' boy,
A rantin', rovin', rantin', rovin',
Robin was a rovin' boy
So we'll hae nae plaque for Robin.

For Robin was nae Scottish prude
And sometimes he was downright rude,
Especially tae the unco guid,
So we'll hae nae plaque for Robin.

For Robin in a pub ye'd find,
Tae slake his drouth he didny mind,
An' faur ower fond o' the womankind
Tae hae a plaque for Robin.

Ye never saw him on parade,
Wi' earls an' dukes an' counts an' lairds,
Though he's done nae bad for the tourist trade,
Yet we'll hae nae plaque for Robin.

If he'd made his pile frae a whisky still,
We'd ha' gie'd him a wall—and a pew—tae himsel',
But they say he only drank it gill by gill,
So we'll hae nae plaque for Robin.

An' Robin wore nae medals braw,
Nae big-wigged minion of the law,
An' we doot he wisny keen on the church at a',
So we'll hae nae plaque for Robin.

27

THE WEE, WEE GERMAN LAIRDIE

Jacobite Air

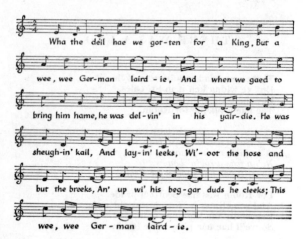

Wha the deil hae we got-ten for a King, But a wee, wee Ger-man laird-ie, And when we gaed to bring him hame, he was del-vin' in his yair-die. He was sheugh-in' kail, And lay-in' leeks, Wi'-oot the hose and but the breeks, An' up wi' his beg-gar duds he cleeks; This wee, wee Ger-man laird-ie.

And he's clapt doon in our guidman's chair,
The wee, wee German lairdie ;
And he's brought fouth o' foreign trash,
And dibbled them in his yairdie.
He's pu'd the rose o' English loons,
And broken the harp o' Irish clowns ;
But oor thistle taps will jag his thooms—
This wee, wee German lairdie.

Come up amang oor Highland hills,
Thou wee, wee German lairdie,
And see how the Stuarts' lang-kail thrive
They dibbled in oor yairdie ;
And if a stock ye dare to pu',
Or haud the yokin' o' a plough,
We'll brak your sceptre ower your mou',
Thou wee bit German lairdie.

Oor hills are steep, oor glens are deep,
Nae fitting for a yairdie;
And oor Norland thistles winna pu',
Thou wee bit German lairdie;
And we've the trenching blades o' weir,
Wad prune ye o' your German gear—
We'll pass ye 'neath the claymore's shear,
Thou feckless German lairdie!

Auld Scotland, thou'rt ower cauld a hole
For nursin' siccan vermin;
But the very dogs o' England's court
They bark and howl in German.
Then keep thy dibble in thy ain hand,
Thy spade but and thy yairdie;
For wha the de'il now claims your land
But a wee wee German lairdie?

AULD LANG SYNE

BURNS

And surely ye'll be your pint-stowp !
   And surely I'll be mine !
And we'll tak a cup o' kindness yet,
   For auld lang syne.

We twa hae run about the braes
   And pu'd the gowans fine ;
But we've wander'd mony a weary foot
   Sin auld lang syne.

We twa hae paidl'd i' the burn
   Frae mornin' sun till dine ;
But seas between us braid hae roar'd
   Sin auld lang syne.

And there's a hand, my trusty fiere !
   And gie's a hand o' thine !
And we'll tak a right gude-willy waught,
   For auld lang syne.

IT WAS A' FOR OUR RIGHTFU' KING

Jacobite Air

It was a' for oor right-fu' king we left fair Scot-land's strand. It was a' for oor right-fu' king we e'er saw I-rish land, my dear, We e'er saw I-rish land.

Now a' is done that men can do,
　　And a' is done in vain ;
My love, my native land, farewell,
　　For I maun cross the main, my dear,
　　For I maun cross the main.

He turned him right, an' round about,
　　Upon the Irish shore,
An' ga'e his bridle-reins a shake,
　　With, Adieu, for evermore, my dear,
　　Adieu, for evermore.

The sodger frae the wars returns,
　　The sailor frae the main ;
But I ha'e parted frae my love,
　　Never to meet again, my dear,
　　Never to meet again.

When day is gone, an' night is come,
　　An' a' folk bound to sleep ;
I think on him that's far awa',
　　The lee-lang night, and weep, my dear,
　　The lee-lang night, and weep.

31

WALY, WALY

Traditional

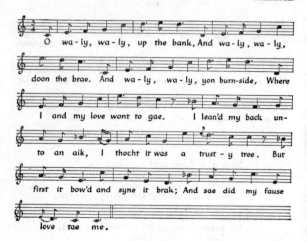

O wa-ly, wa-ly, up the bank, And wa-ly, wa-ly, doon the brae. And wa-ly, wa-ly, yon burn-side, Where I and my love wont to gae. I lean'd my back un-to an aik, I thocht it was a trust-y tree. But first it bow'd and syne it brak; And sae did my fause love tae me.

Oh, waly, waly, but love be bonnie
A little time while it is new;
But when it's auld it waxes cauld,
And fades away like the morning dew.
Oh wherefore should I busk my heid,
Or wherefore should I kame my hair?
For my true love has me forsook,
And says he'll never love me mair.

Now Arthur's Seat shall be my bed,
The sheets shall ne'er be pressed by me,
St. Anton's Well shall be my drink,
Since my true love has forsaken me.
Martinmas wind, when wilt thou blaw
And shake the green leaves off the tree?
Oh, gentle death, when wilt thou come?
For of my life I am wearie.

'Tis not the frost that freezes fell,
Nor blawing snaw's inclemencie;
'Tis not sic cauld that mak's me cry;
But my love's heart's grown cauld tae me.
When we came in by Glasgow toun,
We were a comely sight tae see;
My love was clad in the black velvet,
And I myself in crammasie.

But had I wist before I kissed,
That love had been sae ill tae win,
I'd lock'd my heart in a case of gold,
And pinned it wi' a siller pin.
Oh, oh, if my young babe were born,
And set upon the nurse's knee,
And I myself were deid and gone,
And the green grass growing over me!

THE LASS O' PATIE'S MILL

ALLAN RAMSAY. From *The Tea Table Miscellany*

The lass o' Pat-ie's mill — sae bon-nie, blythe and gay, In spite of all my skill, Hath stole my heart a-way. When ted-ding of the hay —, Bare-head-ed on the green, Love 'midst her locks did play, And want-on'd in her e'en.

Without the help of art,
Like flowers which grace the wild,
She did her sweets impart,
Whene'er she spoke or smiled.
Her looks they were so mild,
Free from affected pride,
She me to love beguiled,
I wished her for my bride.

Oh had I all that wealth
Hopetoun's high mountains fill,
Insured long life and health,
And pleasures at my will ;
I'd promise and fulfill,
That none but bonny she,
The lass of Patie's mill,
Should share the same wi' me.

MORMOND BRAES

Traditional

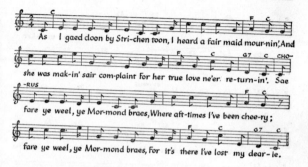

As I gaed doon by Stri-chen toon, I heard a fair maid mour-nin', And she was mak-in' sair com-plaint for her true love ne'er re-turn-in'. Sae fare ye weel, ye Mor-mond braes, Where aft-times I've been chee-ry; fare ye weel, ye Mor-mond braes, For it's there I've lost my dear-ie.

There's as guid fish intae the sea
As ever yet was taken,
So I'll cast my net an' try again
For I'm only aince forsaken.

There's mony a horse has snappert an' fa'n
An' risen again fu' rarely,
There's mony a lass has lost her lad
An' gotten anither richt early.

Sae I'll put on my goon o' green,
It's a forsaken token,
An' that will let the young lads ken
That the bonds o' love are broken.

Sae I'll gyang back tae Strichen toon,
Whaur I was bred an' born,
An' there I'll get anither sweetheart,
Will marry me the morn.

THE BARNYARDS O' DELGATY

Traditional

As I cam' in tae Tur-ra mar-ket, Tur-ra mar-ket for tae fee, It's I fell in wi' a weal-thy fair-mer, The Barn-yards o' Del-ga-ty. Lin-ten ad-die too-rin ad-die, Lin-ten ad-die too-rin ae, Lin-ten low-rin, low-rin, low-rin, The barn-yards o' Del-ga-ty.

He promised me the ae best pair,
That was in a' the kintra roon,
Fan I gaed hame tae the Barnyards
There was naething there but skin and bone.

The auld black horse sat on his rump
The auld white mare lay on her wime
For a' that I would hup and crack
They wouldna rise at yokin' time.

It's lang Jean Scott she maks ma bed
You can see the marks upon my shins
For she's the coorse ill-trickit jaud
That fills my bed wi' prickly whins.

Meg McPherson maks my brose
An' her an' me we canna gree,
First a mote and syne a knot
An' aye the ither jilp o' bree.

Fan I gang tae the kirk on Sunday
Mony's the bonny lass I see,
Sittin' by her faither's side,
An' winkin' ower the pews at me.

Oh, I can drink and no get drunk,
An' I can fecht an' no get slain,
An' I can lie wi' anither lad's lass,
An' aye be welcome tae my ain.

My caun'le noo it is brunt oot
Its lowe is fairly on the wane ;
Sae fare ye weel ye Barnyards
Ye'll never catch me here again.

THE WEE MAGIC STANE

JOHN McEVOY

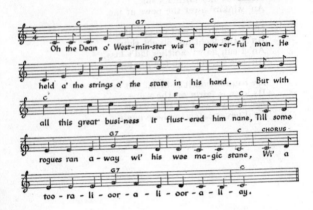

Oh the Dean o' Westminster wis a powerful man. He
held a' the strings o' the state in his hand. But with
all this great business it flustered him nane, Till some
rogues ran away wi' his wee magic stane, Wi' a
too-ra-li-oor-a-li-oor-a-li-ay.

Noo the stane had great pow'rs that could dae such a thing
And withoot it, it seemed, we'd be wantin' a king,
So he called in the polis and gave this decree—
" Go an' hunt oot the Stane and return it tae me."

So the polis went beetlin' up tae the North
They huntit the Clyde and they huntit the Forth
But the wild folk up yonder jist kiddit them a'
Fur they didnae believe it was magic at a'.

Noo the Provost o' Glesca, Sir Victor by name,
Was awfy pit oot when he heard o' the Stane
So he offered the statues that staun' in the Square
That the high churches' masons might mak a few mair.

When the Dean o' Westminster wi' this was acquaint,
He sent fur Sir Victor and made him a saint,
" Now it's no use you sending your statues down heah "
Said the Dean " But you've given me a jolly good ideah."

38

So he quarried a stane o' the very same stuff
An' he dressed it a' up till it looked like enough
Then he sent for the Press and announced that the Stane
Had been found and returned to Westminster again.

When the reivers found oot what Westminster had done,
They went aboot diggin' up stanes by the ton
And fur each wan they feenished they entered the claim
That *this* was the true and original stane.

Noo the cream o' the joke still remains tae be tellt,
Fur the bloke that was turnin' them aff on the belt
At the peak o' production was so sorely pressed
That the real yin got bunged in alang wi' the rest.

So if ever ye come on a stane wi' a ring
Jist sit yersel' doon and appoint yersel King
Fur there's nane wud be able to challenge yir claim
That ye'd croont yersel King on the Destiny Stane.

JAMIE RAEBURN

Tune as sung by JESSIE MURRAY

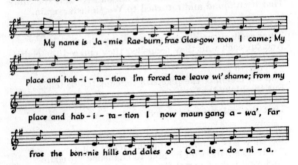

My name is Ja-mie Rae-burn, frae Glas-gow toon I came; My place and hab-i-ta-tion I'm forced tae leave wi' shame; From my place and hab-i-ta-tion I now maun gang a-wa', Far frae the bon-nie hills and dales o' Ca-le-do-ni-a.

It was early one morning, just by the break of day,
We were 'wakened by the turnkey, who unto us did say—
" Arise, ye hapless convicts, arise ye ane and a',
This is the day ye are to stray from Caledonia."

We all arose, put on our clothes, our hearts were full of
    grief,
Our friends who a' stood round the coach, could grant us
    no relief ;
Our parents, wives, and sweethearts, their hearts were
    broke in twa,
To see us leave the hills and dales o' Caledonia.

Farewell, my aged mother, I'm vexed for what I've done,
I hope none will cast up to you the race that I have run ;
I hope God will protect you when I am far awa,
Far from the bonnie hills and dales of Caledonia.

Farewell, my honest father, you are the best of men,
And likewise my own sweetheart, it's Catherine is her
    name,
Nae mair we'll walk by Clyde's clear stream or by the
    Broomielaw,
For I must leave the hills and dales of Caledonia.

40

THE LICHTBOB'S LASSIE

Words W. MATHIESON, collated with version in *Folk-Song of the North East*

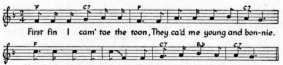

First fin I cam' tae the toon, They ca'd me young and bon-nie.

Noo they've chang'd my name, Ca'd me the Licht Bob's hon-ey.

First fin I cam' tae the toon,
They ca'd me proud an' saucy;
Noo they've changed my name,
Ca'd me the lichtbob's lassie.

I'll dye my petticoats red,
And face them wi' the yellow:
I'll tell the dyster lad
That the lichtbobs I'm tae follow.

Feather beds are saft,
Painted rooms are bonnie;
I will leave them a',
An' jog awa' wi' Johnnie.

Oh, my back's been sair,
Shearin' Craigie's corn;
I winna see him the nicht,
But I'll see him the morn.

Oh for Saterday nicht,
Syne I'll see my dearie,
He'll come whistlin' in,
Fan I am tired an' weary.

JOHNNIE O' BRAIDIESLEY

Tune: Version B in *Last Leaves of Traditional Ballads*

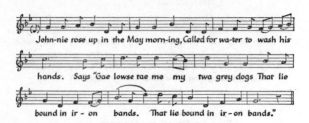

John-nie rose up in the May morn-ing, Called for wa-ter to wash his hands. Says "Gae lowse tae me my twa grey dogs That lie bound in ir-on bands. That lie bound in ir-on bands."

When Johnnie's mother heard of this,
Her hands for dule she wrang,
Says " Johnnie, for your venison,
To the greenwood dinna gang."

But he has ta'en his guid bend-bow,
His arrows one by one,
And he's awa to the greenwood gane,
To ding the dun deer doon.

Johnnie shot and the dun deer lap,
And he wounded her on the side ;
And atween the water and the woods,
The grey dogs laid her pride.

They ate so much o' the venison,
And drank so much o' the bleed,
That Johnnie and his twa grey dogs,
Fell asleep as they'd been deid.

By there cam' a silly auld man,
An ill death may he dee ;
And he's awa' to Esslemont
The seven foresters for to see.

" As I cam' in by Monymusk,
And doon amang yon scrogs,
There I saw the bonniest youth,
Lyin' sleepin' atween twa dogs.

42

" The buttons that were on his sleeves
Were o' the gowd sae guid,
The twa dogs that he lay atween,
Their mouths were dyed wi' bleed."

Then oot and spak' the first forester,
He was headsman ower them a',
" Gin this be Jock o' Braidiesley,
Unto him we will draw."

The first shot that the forester fired,
It wounded him on the knee ;
The next shot that the forester fired
His heart's bleed blin't his e'e.

Then up rose Johnnie oot o' his sleep,
And an angry man was he ;
Says, " Ye micht hae waukened me frae my sleep,
For my heart's blood blins my e'e."

He has leaned his back against an oak,
His foot against a stone,
And he has fired at the seven foresters,
And he's killed them all but one.

He has broken four o' this man's ribs,
His arm and his collar bone,
And he has set him on to his horse,
To carry the tidings home.

Johnnie's guid bend-bow is broke,
And his twa grey dogs are slain ;
And his body lies in Monymusk,
And his huntin' days are deen.

TAE THE BEGGIN'

Tune as sung by EDITH WHYTE   From FORD'S *Vagabond Songs*

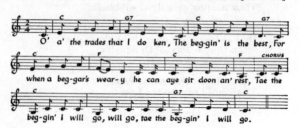

O' a' the trades that I do ken, The beg-gin' is the best, For when a beg-gars wear-y he can aye sit doon an' rest, Tae the beg-gin' I will go, will go, tae the beg-gin' I will go.

It's I'll gyang tae the cobbler
An' gar him sort my shoon ;
An inch thick tae the boddam
An' clooted weel abune.

An' I will tae the greasy cook,
Frae him I'll buy a hat,
Weel press'd and weather-beaten,
An' glitt'rin ower wi' fat.

An' I will tae the tailor,
Wi' a wab o' hodden gray,
An' gar him mak' a cloak for me,
Will hap me nicht and day.

An' yet ere I begin my trade,
I'll let my beard grow strang ;
Nor pare my nails this year or day
For the beggars wear them lang.

I'll pit nae watter on my hands
As little on my face ;
For still the lowner like I am,
The mair my trade I'll grace.

When I come tae a fairm-toon
I'll say wi' hat in hand ;

" Will the beggar-man get quarters here ?
Alas, I canna stand."

An' when they're a' come in aboot
It's then I'll start tae sing,
An' dae my best tae gar them lauch
A' roon aboot the ring.

If there's a wedding in the toon ;
I'll airt me tae be there ;
An' pour my kindest benisons
Upon the happy pair.

An' some will give me beef an' breid,
An' some will gie me cheese ;
An' oot an' in amang the folk,
I'll gaither the bawbees.

If beggin' be as good as trade
An' as I hope it may,
It's time that I was oot o' here
An' haudin doon the brae.

THE GABERLUNZIE MAN

Tune as sung by JEANNIE ROBERTSON   *Folk-Song of the North East*

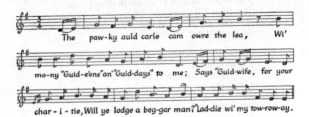

The paw-ky auld carle cam owre the lea, Wi'
mo-ny "Guid-e'ens" an' "Guid-days" to me; Says "Guid-wife, for your
char-i-tie, Will ye lodge a beg-gar man?" Lad-die wi' my tow-row-ay.

The nicht was cauld, the carle was wat,
And doon ayont the ingle he sat,
My dochter's shouthers he 'gan to clap
And cadgily ranted and sang.

Between the twa they made a plot,
They rase a wee afore the cock,
And wilily they shot the lock,
And fast to the bent they ran.

The servant gaed where the dochter lay ;
The sheets were cauld and she was away ;
And fast to the guidwife she did say
" She's aff wi' the gaberlunzie man."

" Oh, fie gar ride, and fie gar rin,
And haste ye find thae traitors again ;
For she's be burnt and he's be slain,
The wearifu' gaberlunzie man ! "

Some rade on horse, some ran on fit ;
The wife was wud and oot o' her wit ;
She couldna gang nor she couldna sit,
But aye she cursed and banned.

Meantime far hind oot owre the lea,
Fu' snug in a glen where nane could see,
The twa wi' kindly sport and glee
Cut frae a new cheese a whang.

46

The prievin' was guid—it pleased them baith,
To lo'e her for aye he gae his aith;
Quo' she, " To leave ye I'll be laith,
My winsome gaberlunzie man."

" My dear, " quo' he, " ye're yet owre young,
And hinna learned the beggar tongue,
To follow me frae toon tae toon,
And carry the gaberlunzie on."

" I'll bow my leg and crook my knee,
And draw a black cloot owre my e'e,
A cripple an' blin' they will ca' me,
While we'll be merry an' sing."

When three lang years were come an' gane
The beggar he cam' back again,
Seeking for himsel' alane
Tae lodge a leal poor man.

" Oh guidwife, what would ye give
For ae sicht o' yer dochter alive ? "
" It's you, fause loon, that's been the knave—
Oh, gin I had thee slain ! "

" Yonder she's coming to your bower,
Wi' silks and satins and mony's the flower."
The auld wife cried, " Guid luck tae the hour
When she followed a beggar man."

The lady came riding in the sand,
Wi' four and twenty at her command ;
She was the brawest in the land,
And she followed a beggar man.

A PAIR O' NICKY TAMS

Words and music by G. S. MORRIS

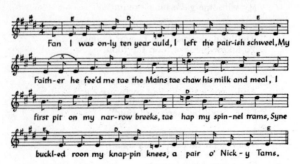

Fan I was on-ly ten year auld, I left the pair-ish schweel, My
Faith-er he fee'd me tae the Mains tae chaw his milk and meal, I
first pit on my nar-row breeks, tae hap my spin-nel trams, Syne
buckl-ed roon my knap-pin knees, a pair o' Nick-y Tams.

It's first I gaed on for baillie loon and syne I gaed on for
third,
An' syne, of course, I had tae get the horseman's grippin'
wird,
A loaf o' breed tae be my piece, a bottle for drinkin'
drams,
Bit ye canna gyang thro' the caffhouse door without yer
Nicky Tams.

The fairmer I am wi' eynoo he's wealthy, bit he's mean,
Though corn's cheap, his horse is thin, his harness fairly
deen.
He gars us load oor cairts owre fou, his conscience has nae
qualms,
Bit fan breist-straps brak there's naething like a pair o'
Nicky Tams.

I'm coortin' Bonnie Annie noo, Rob Tamson's kitchie
deem,
She is five-and-forty an' I am siventeen,
She clorts a muckle piece tae me, wi' different kinds o'
jam,
An' tells me ilka nicht that she admires my Nicky Tams.

I startit oot, ae Sunday, tae the kirkie for tae gyang,
My collar it wis unco ticht, my breeks were nane owre
    lang.
I had my Bible in my pooch, likewise my Book o' Psalms,
Fan Annie roared, " Ye muckle gype, tak' aff yer Nicky
    Tams ! "

Though unco sweer, I took them aff, the lassie for tae
    please,
But aye my breeks they lirkit up, a' roon aboot my knees.
A wasp gaed crawlin' up my leg, in the middle o' the
    Psalms,
So niver again will I enter the kirk without my Nicky
    Tams.

I've often thocht I'd like tae be a bobby on the Force,
Or maybe I'll get on the cars, tae drive a pair o' horse.
Bit fativer it's my lot tae be, the bobbies or the trams,
I'll ne'er forget the happy days I wore my Nicky Tams.

DRUMDELGIE

Traditional. From ORD's *Bothy Ballads*

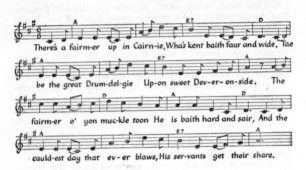

There's a fairm-er up in Cairn-ie, Wha's kent baith faur and wide, Tae be the great Drum-del-gie Up-on sweet Dev-er-on-side. The fairm-er o' yon muc-kle toon He is baith hard and sair, And the cauld-est day that ev-er blaws, His ser-vants get their share.

At five o'clock we quickly rise
An' hurry doon the stair ;
It's there to corn our horses,
Likewise to straik their hair.
Syne, after working half-an-hour,
Each to the kitchen goes,
It's there to get our breakfast,
Which generally is brose.

We've scarcely got our brose weel supt,
And gi'en our pints a tie,
When the foreman cries, " Hallo my lads !
The hour is drawing nigh."
At sax o'clock the mull's put on,
To gie us a' strait wark ;
It tak's four o' us to mak' to her,
Till ye could wring our sark.

And when the water is put aff,
We hurry doon the stair,
To get some quarters through the fan
Till daylight does appear.
When daylight does begin to peep,
And the sky begins to clear,

The foreman cries out, " My lads !
Ye'll stay nae langer here ! "

" There's sax o' you'll gae to the ploo,
And twa will drive the neeps,
And the owsen they'll be after you
Wi' strae raips roun' their queets."
But when that we were gyaun furth,
And turnin' out to yoke,
The snaw dank on sae thick and fast
That we were like to choke.

The frost had been sae very hard,
The ploo she wadna go ;
And sae our cairting days commenced
Amang the frost and snaw.
But we will sing our horses' praise,
Though they be young an' sma',
They far outshine the Broadland's anes
That gang sae full and braw.

Sae fare ye weel, Drumdelgie,
For I maun gang awa ;
Sae fare ye weel, Drumdelgie,
Your weety weather an' a',
Sae fareweel, Drumdelgie,
I bid ye a' adieu ;
I leave ye as I got ye—
A maist unceevil crew.

TAM I' THE KIRK

Tune adapt. from McCunn's *Scottish Dances* by W. H. HAMILTON

Words by VIOLET JACOB

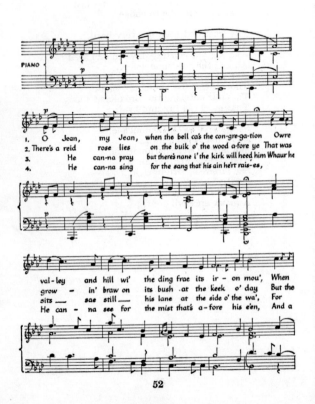

1. O Jean, my Jean, when the bell ca's the con-gre-ga-tion Owre
2. There's a reid rose lies on the buik o' the wood a-fore ye That was
3. He can-na pray but there's nane i' the kirk will heed him Whaur he
4. He can-na sing for the sang that his ain he'rt rais-es,

val-ley and hill wi' the ding frae its ir – on mou', When
grow – in' braw on its bush at the keek o' day But the
sits sae still his lane at the side o' the wa', For
He can – na see for the mist that's a-fore his e'en, And a

a'- bo-dy's thochts is set on his ain sal - va-tion

lad that pu'd yon flower i' the morn - in's glo - ry

nane but the reid rose kens what my las - sie gie'd him

voice drouns the hale o' the psalms and the par - a - phras - es

VERSE 1.

Mine's set on you, mine's set on you.

D.C. for 2nd. verse.

VERSE 2.

He can-na pray.

D.C. for 3rd. verse.

VERSE 3.

It an' us twa, It an' us twa!

53

VERSE 4.

Cry-in' "Jean, Jean, Jean, Jean!"

THE WARK O' THE WEAVERS

DAVID SHAW. From FORD'S *Vagabond Songs*

We're a' met the-gi-ther here tae sit an' tae crack, Wi' oor
gless-es in oor hands, an' oor wark up-on oor back; for there's
no' a trade a-mang them a' can eith-er mend or mak', Gin it
was-na for the wark o' the weav-ers. If it
was-na for the weav-ers what wad they do? They wad-na hae claith made
oot o' oor woo', They wad-na hae a coat neith-er
black nor blue, Gin it was-na for the wark o' the weav-ers.

There's some folk independent o' ither tradesmen's wark
For women need nae barber an' dykers need nae clerk ;
But there's no ane o' them but needs a coat an' a sark
Na, they canna want the wark o' the weavers.

There's smiths an' there's wrights and there's mason
    cheils an' a'
There's doctors an' there's meenisters an' them that live
    by law
An' oor freens that bide oot ower the sea in Sooth America
An' they a' need the wark o' the weavers.

Oor sodgers an' oor sailors, od, we mak' them a' bauld
For gin they hadna claes, faith, they couldna fecht for
    cauld,
The high an' low, the rich an' puir—a'body young an'
    auld,
They a' need the wark o' the weavers.

So the weavin' is a trade that never can fail
Sae lang's we need ae cloot tae haud anither hale,
Sae let us a' be merry ower a bicker o' guid ale,
An' drink tae the health o' the weavers.

THE BALLAD OF JOHNNY RAMENSKY

Trad. tune arr. Buchan

NORMAN BUCHAN

Far dis-tant, far dis-tant, in Pet-er-heid jail, Lies
John-ny Ram-en-sky; his es-cape bid did fail. Ir-on
bars and reid gran-ite, keep him frae the sun, And
John-ny Ram-en-sky nae free-dom has won.

He has been in a prison for the maist o' his days,
An' " I must hae ma freedom " is a' that he says.
There are nae horizons in a twenty foot cell
And bitter the music of a hard prison bell.

He has slipped frae the darkness an' intae the light
Tae the green fields around him he has taken his flight
For one breath o' fresh air, just one glimpse o' the sun,
—But Johnny Ramensky nae freedom has won.

Oh the cauld frosty clay whaur he lays his head
Is sweeter tae him than a hard prison bed.
Oh foxes hae holes an' the birds hae their nests,
But whaur is poor Johnny Ramensky tae rest?

Like a dog he is huntit, like a dog he is ta'en,
But sweet was the smell o' the grass an' the rain,
Forgotten his prison, on his windows nae bars,
For Johnny Ramensky walked under the stars.

Far distant, far distant, in Peterheid Jail,
Lies Johnny Ramensky, his escape bid did fail.
Iron bars and reid granite keep him frae the sun,
An' Johnny Ramensky nae freedom has won.

KELVIN LASS

Tune: *Cailin Deas* adapt. Behan
DOMINIC BEHAN

There's a girl that I love with dark brown curls, And
eyes of the blue green sea. From her spark-ling teeth to her
ti-ny feet, She's the on-ly lass for me When I
fold my arms round her mag-ic charms, And feel her
pulse beat fast, Then I al-ways know where-e'er I
go I will take my Kel-vin lass

Many times did I rove through Kelvingrove
When the sweetest flowers had sprung
But none more rare than my lass so fair
Was ever there among
No rose could vie beneath the sky
To be mirrored in the glass
Where walked my girl, dear radiant pearl
My lovely Kelvin Lass.

Could she walk as my bride by Kelvin's side
And together hand in hand
Share with me the world to be
I would see a fairy land
Never more to pine for that heart so fine
'Twould be dreaming come to pass
In my breast a vow to love as now
Forever my Kelvin Lass.

57

DONAL' DON

FORD'S *Vagabond Songs*

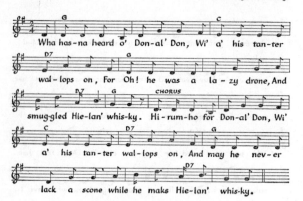

Wha has-na heard o' Don-al' Don, Wi' a' his tan-ter wal-lops on, For Oh! he was a la-zy drone, And smug-gled Hie-lan' whis-ky. Hi-rum-ho for Don-al' Don, Wi' a' his tan-ter wal-lops on, And may he nev-er lack a scone while he maks Hie-lan' whis-ky.

When first he cam' tae auld Dundee
'Twas in a smeeky hole lived he ;
Where gauger bodies couldna see,
He played the king a pliskie.

When he was young an' in his prime,
He lo'ed a bonny lassie fine ;
She jilted him an' aye sin' syne
He's dismal, dull and dusky.

A bunch o' rags is a' his braws,
His heathery wig wad fricht the craws ;
His dusky face and clorty paws,
Wad fyle the bay o' Biscay.

He has a sark, he has but ane,
It's fairly worn tae skin an' bane,
A-loupin', like tae rin its lane
Wi' troopers bauld and frisky.

Whene'er his sark's laid out tae dry
It's Donald in his bed maun lie,

58

An' wait till a' the troopers die,
Ere he gangs oot wi' whisky.

So here's a health tae Donal' Don,
Wi' a' his tanterwallops on,
An' may he never lack a scone
While he mak's Hieland whisky.

THE BRESSAY LULLABY

The Shetland Folk Book, **vol. 1**

Noted down by Mrs. E. J. Smith, Sandness, Shetland
from her mother's singing

Ba - loo, ba - lil - li, ba - loo, ba - lil - li, Ba - loo, ba - lil - li, ba - loo, ba. Gae a - wa', pee-rie fair-ies, Gae a - wa', pee-rie fair-ies, Gae a - wa', pee-rie fair-ies, fae oor bairn noo.

Dan come boanie angels, ta wir peerie bairn
Dan come boanie angels, ta wir peerie bairn.

Dey'll sheen ower da cradle, o wir peerie bairn
Dey'll sheen ower da cradle, o wir peerie bairn.

AN AULD MAID IN THE GARRET

Traditional

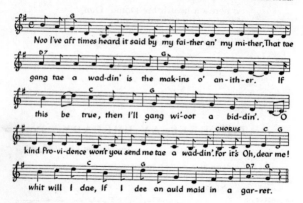

Noo I've aft times heard it said by my fai-ther an' my mi-ther, That tae gang tae a wad-din' is the mak-ins o' an-ith-er. If this be true, then I'll gang wi'-oot a bid-din'. kind Pro-vi-dence won't you send me tae a wad-din'. For it's Oh, dear me! whit will I dae, If I dee an auld maid in a gar-ret.

Noo there's ma sister, Jean, she's no handsome or good-
lookin'
Scarcely sixteen an' a fellow she was coortin'
Noo she's twenty-four wi' a son an' a dochter
An' I'm forty-twa an' I've never had an offer.

I can cook an' I can sew, I can keep the hoose right tidy
Rise up in the morning and get the breakfast ready
But there's naething in this wide world would mak' me
half sae cheery
As a wee fat man that would ca' me his ain dearie.

Oh, come tinker, come tailor, come soldier or come sailor,
Come ony man at a' that would tak me fae my faither.
Come rich man, come poor man, come wise man or come
witty
Come ony man at a' that would mairry me for pity.

Oh, I'll awa hame fur there's naebody heedin'
Naebody heedin' tae puir Annie's pleadin'
I'll awa hame tae my ain wee bit garret—
If I canna get a man than I'll shairly get a parrot.

WILL YE GANG, LOVE?

As sung by ANDREW ROBBIE

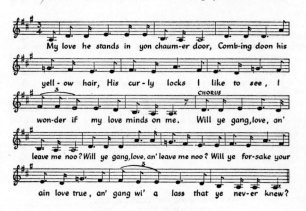

My love he stands in yon chaum-er door, Comb-ing doon his yell-ow hair, His cur-ly locks I like to see, I won-der if my love minds on me. Will ye gang, love, an' leave me noo? Will ye gang, love, an' leave me noo? Will ye for-sake your ain love true, an' gang wi' a lass that ye nev-er knew?

I wish, I wish, I wish in vain
  I wish I were a maid again.
But a maid again I'll never be
  Till an apple grows on an orange tree.

I wish, I wish my babe was born
  I wish it sat on's daddy's knee,
An' I myself were deid an' gone
  An' the wavin' grass all o'er me growin'.

As lang as my apron did bide doon
  He followed me frae toon tae toon,
But noo it's up an' above ma knee
  My love gaes by but he kens na me.

Mak' my grave baith lang and deep
  Put a bunch of roses at my head and feet,
And in the middle put a turtle dove,
  Let the people know I died of love.

BIRNIE BOUZLE

As sung by AGGIE STEWART of Banff

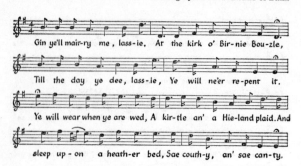

Gin ye'll mair-ry me, lass-ie, At the kirk o' Bir-nie Bou-zle,

Till the day ye dee, lass-ie, Ye will ne'er re-pent it.

Ye will wear when ye are wed, A kir-tle an' a Hie-land plaid. And

sleep up-on a heath-er bed, Sae couth-y, an' sae can-ty.

Ye will gang sae braw, lassie,
Tae the kirk o' Birnie Bouzle,
Little brogues an' a', lassie,
Vow, but ye'll be canty.
Your wee bit tocher is but sma',
But hodden grey will wear for a',
I'll save ma siller tae mak' ye braw
An' ye will ne'er repent it.

Gin ye'll mairry me, lassie,
At the kirk o' Birnie Bouzle
Till the day ye dee, lassie,
Ye will ne'er repent it.
We'll hae bonny bairns an' a'
Some lassies fair an' laddies braw
Just like their mither ane an' aw,
An' your faither he's consented.

Gin ye'll mairry me, lassie,
At the kirk o' Birnie Bouzle
Till the day ye dee, lassie,
Ye will ne'er repent it.
I'll hunt the otter an' the brock
The hart, the hare, an' heather cock,

I'll pu' ye limpets frae the rock
Tae mak' ye dishes dainty.

Gin ye'll mairry me, lassie,
At the kirk o' Birnie Bouzle
Till the day ye dee, lassie,
Ye will ne'er repent it.

KISSIN'S NAE SIN

Scotland Sings

Some say that kiss-in's a sin;———— But I
think it's nane a-va,——— For kiss-in' has
been in this world——— Since ev-er there was
twa.——— Oh, if it was-na law-fu', Law-yers wad-na al-
-low it; If it was-na ho-ly, Min-i-sters wad-na
dae it; If it was-na mod-est, Maid-ens wad-na
tak' it; If it was-na plen-ty, Puir folks wad-na get it!

THE BLEACHER LASS
O' KELVINHAUGH

Version from JIMMY MACBEATH & HAMISH HENDERSON

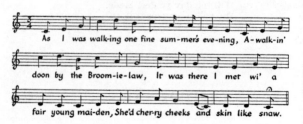

As I was walking one fine summer's evening, A-walkin' doon by the Broomie-law, It was there I met wi' a fair young maiden, She'd cherry cheeks and skin like snaw.

Says I " My lassie, it it you that wanders
All alone by the Broomielaw ? "
" O indeed, kind sir, it's the truth I'll tell ye,
I'm a bleacher lassie on Kelvinhaugh."

" O lassie, lassie, do you remember
The ships that sailed by the Broomielaw,
And the sailor laddies they all admired
The bleacher lassie on Kelvinhaugh ? "

" O laddie, laddie, I do remember
The ships that sailed by the Broomielaw,
And the sailor laddies they a' got tipsy
Wi' the bleacher lassie on Kelvinhaugh."

Says I, " My lassie will you gang wi' me,
I'll dress you up in fine satins braw."
" O indeed, kind sir, I can plainly tell ye,
I've a lad o' my ain, an' he's far awa.

" It's seven lang years that I loved a sailor,
It's seven long years since he gaed awa,
And ither seven I'll wait upon him
An' bleach my claes here on Kelvinhaugh."

" O lassie, lassie, ye are hard-hearted,
I wish your fair face I never saw ;
For my hert's aye bleedin', baith nicht and mornin',
For the bleacher lassie on Kelvinhaugh.

" O lassie, lassie, ye hae been faithful,
And thocht on me when far awa,
Twa herts will surely be rewarded—
We'll part nae mair here on Kelvinhaugh."

It's noo this couple, it's they've got mairrit,
And they keep an ale-hoose atween them twa,
And the sailor laddies they a' come drinkin',
To see that lassie on sweet Kelvinhaugh.

THE ROAD TO DUNDEE

From ORD'S *Bothy Ballads*

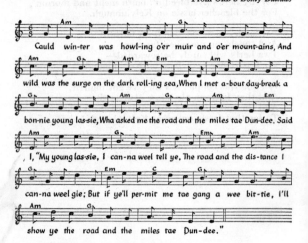

Cauld win-ter was howl-ing o'er muir and o'er mount-ains, And wild was the surge on the dark roll-ing sea, When I met a-bout day-break a bon-nie young las-sie, Wha asked me the road and the miles tae Dun-dee. Said I, "My young las-sie, I can-na weel tell ye, The road and the dis-tance I can-na weel gie; But if ye'll per-mit me tae gang a wee bit-tie, I'll show ye the road and the miles tae Dun-dee."

At once she consented and gave me her arm ;
Ne'er a word did I speir wha the lassie might be,
She appeared like an angel in feature and form,
As she walked by my side on the road to Dundee.

At length wi' the Howe o' Strathmartine behind us,
And the spires of the toon in full view we could see ;
She said " Gentle sir, I can never forget ye
For showing me so far on the road to Dundee.

" This ring and this purse take to prove I am grateful
And some simple token in trust ye'll gie me,
And in times to come I'll the laddie remember
That showed me the road and the miles to Dundee."

I took the gowd pin from the scarf on my bosom,
And said " Keep ye this in remembrance o' me "
Then bravely I kissed the sweet lips o' the lassie
Ere I parted wi' her on the road to Dundee.

So here's to the lassie—I ne'er can forget her—
And ilka young laddie that's listening to me ;
And never be sweer to convoy a young lassie,
Though it's only to show her the road to Dundee.

THE TARRIN' O' THE YOLL

GEORGE RIDDELL

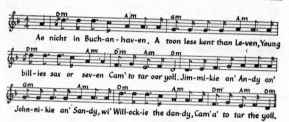

Ae nicht in Buch-an-hav-en, A toon less kent than Le-ven, Young
bill-ies sax or sev-en Cam' to tar oor yoll. Jim-mi-kie an' An-dy an'
John-ni-kie an' San-dy, wi' Will-ock-ie the dan-dy, Cam'a' to tar the yoll.

Wi' muckle din an' laughin', wi' skirlin' an' chaffin',
The lassies neist cam' daffin', to help to tar the yoll.
Maggie's Jessie's Jeanie, an' fernticklet Teenie,
Wi' little gabblin' Beenie, Cam' a' to tar the yoll.

This blythe an' merry meetin' set a' their hearts a-beatin'
So while the tar was heatin' they close the-gither stole.
Jimmikie kissed Jeanie, an' Johnnikie squeezed Teenie,
While Andy kittled Beenie, jist in a-hint the yoll.

The midst o' a' this teasin' an' cuddlin' an' squeezin'
The tar pot went a-bleezin', an' nearly brunt the yoll.
Sandy fell ower Jeanie, an' Andy trippit Teenie,
While Jimmikie an' Beenie baith tum'let in a hole.

Noo Jimmikie an' Andy, an' Johnnikie an' Sandy
An' Beenie the wee randy that tum'let in a hole,
Declare it was the teasin' an' cuddlin' an' squeezin'
That set the pot a-bleezin', at the tarrin' o' the yoll.

McGINTY'S MEAL AND ALE

Tune by WILLIE KEMP

GEORGE BRUCE THOMSON

This is nae a sang o' love na', nor yet a sang o' mon-ey, Faith it's nae-thin' ver-ra pee-ti-fu', it's nae-thin' ver-ra fun-ny; But there's Hie-lan' Scotch, Low-land Scotch, But-ter Scotch an' hon-ey. If there's nane o' them for a' there's a mix-ture o' the three. An' there's nae a word o' beef, brose, sow-ens, sau-ty ban-nocks na', Nor pan-cakes, paes eggs for them wi' dain-ty stam-micks; But it's a' a-boot a meal and ale that hap-pened at Bal-man-nocks, Mc-

CHORUS

Gin-ty's meal and ale, whaur the pig gaed on the spree. They were howl-in' in the kit-chen like a car-a-van o' Tink-ies, aye, And some were play-ing ping-pong, and tidd-e-ly widd-e-ly wink-ies; For up the howe an' doon the howe ye ni-ver saw such jink-ies, As Mc-

D.S.

Gin-ty's meal and ale, whaur the pig gaed on the spree.

68

Noo McGinty's pig had broken lowse, an' wannert tae
the lobby,
Whaur he opened shived the pantry door, an' cam' upon
the toddy ;
And he took kindly tae the stuff like ony human boddy,
At McGinty's meal and ale whaur the pig gaed on the
spree
Miss McGinty she ran but the hoose, th' wey was dark an'
crookit,
She gaed heelster gowdie ower the pig, for it she never
lookit ;
And she lat oot a skirl wad hae paralysed a teuchit,
At McGinty's meal and ale whaur the pig gaed on the
spree.

Johnnie Murphy he ran efter her, and ower the pig was
leapin'
Whan he trampit on an ashet that was sittin' fu' o'
dreepin'
An' he fell doon and peel't his croon, an' quidna haud
frae greetin'
At McGinty's meal and ale whaur the pig gaed on the
spree.
And the pantry shelf cam' ricklin' doon and he was lyin'
kirnin'
Amang saft soap, pease meal, corn floor and yirnin'
Like a gollach amang trickle but McGinty's wife was
girnin'
At the soss upon her pantry fleer and wadna' lat him be.

Syne they a' ran skirlin' tae the door but fan that it was
tuggit
For aye it held the feester, aye the mair they ruggit ;
Till McGinty roared tae bring an axe, he wadna be hum-
buggit,
Na' nor lockit in his ain hoose, and that he'd let them see.
Sae the wife cam' trailin' wi' an axe, an' through the bar
was hacket,
And open flew the door at aince, sae ticht as they were
packet,
And a' the crew cam' rummlin' oot like tatties frae a
backet,
At McGinty's meal and ale whaur the pig gaed on the
spree.

They had spurtles, they had tattie chappers, faith they
    werena' jokin'
And they swore they'd gar the pig claw whaur he was
    never yokin'
But by this time the lad was fou' and didna' care a dockin'
At McGinty's meal and ale whaur the pig gaed on the
    spree.
Oh ! There's eelie pigs an' jeelie pigs, an' pigs for haudin'
    butter,
Aye but this pig was greetin' fou' and rowin' in the gutter,
Till McGinty and his foreman trailed him oot upon a shut-
    ter,
Frae McGinty's meal and ale whaur the pig gaed on the
    spree.

Miss McGinty took the thing tae heart an' hidit in her
    closet,
An' they rubbit Johnnie Murphy's heid wi' turpentine
    an' rosit ;
Syne they harl't him wi' meal and ale, ye really wad sup-
    posit
He had sleepit in a mason's trough and risen tae the spree.
Oh ! weary on the barley bree, an' weary fa' the weather,
For it's keetcherin' 'mang dubs an' drink, they gang na'
    weel thegither ;
But there's little doot McGinty's pig is wishin' for anither
O' McGinty's meal and ale whaur the pig gaed on the spree.

THE QUODLIBET

Based on original air, by W. A. HENDERSON

BURNS

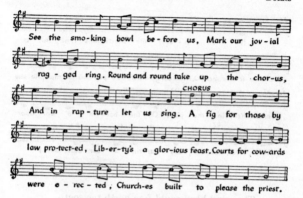

See the smo-king bowl be-fore us, Mark our jov-ial rag-ged ring. Round and round take up the chor-us, And in rap-ture let us sing. A fig for those by law pro-tect-ed, Lib-er-ty's a glor-ious feast. Courts for cow-ards were e-rec-ted; Church-es built to please the priest.

What is title, what is treasure,
What is reputation's care ?
If we lead a life of pleasure,
'Tis no matter how or where !

With the ready trick and fable
Round we wander all the day ;
And at night in barn or stable
Hug our doxies on the hay.

Does the train-attended carriage
Thro' the country lighter rove ?
Does the sober bed of marriage
Witness brighter scenes of love ?

Life is all a variorum,
We regard not how it goes ;
Let them prate about decorum,
Who have character to lose.

Here's to budgets, bags and wallets !
Here's to all the wandering train !
Here's our ragged brats and callets !
One and all, cry out, Amen !

71

GET UP AND BAR THE DOOR

Traditional

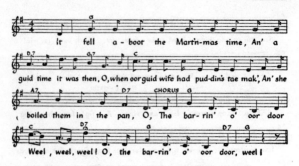

It fell a-boot the Mart'n-mas time, An' a guid time it was then, O, when oor guid wife had pud-din's tae mak', An' she boiled them in the pan, O, The bar-rin' o' oor door Weel, weel, weel! O, the bar-rin' o' oor door, weel!

The wind blew cauld frae north tae sooth,
An' blew intae the floor, O !
Quoth oor gudeman tae oor gudewife,
  "Get up and bar the door, O ! "

"My hand is in my hussyfskip,
Gudeman as ye may see, O.
An' it shouldna be barred this hundred year,
It'll no be barred for me, O."

They made a paction 'tween them twa,
They made it firm an' sure, O.
Whaever spak the foremost word
Should rise and bar the door, O.

Then by there cam' twa gentlemen,
At twelve o'clock at night, O.
An' they could neither see hoose nor ha'
Nor coal nor candle light, O.

Noo, whether is this a rich man's hoose,
Or whether is it a poor, O ?
But never a word wad ane o' them speak,
For barring o' the door, O.

72

And first they ate the white puddings
An' then they ate the black, O.
Tho' muckle thocht the gudewife tae hersel',
Yet ne'er a word she spak, O.

Then said the ane unto the ither—
" Here, man, tak' ye my knife, O.
Do ye tak' aff the auld man's beard,
An' I'll kiss the gudewife, O.

" But there's nae watter in the hoose,
An' what shall we do then, O ? "
"What ails ye at the puddin' bree
That biles intae the pan, O."

O, up then started oor gudeman,
An' an angry man was he, O.
" Will ye kiss my wife afore my e'en,
And scaud me wi' puddin' bree, O."

O, up then started oor gudewife,
Gied three skips on the floor, O.
" Gudeman, ye've spoken the foremost word,
Get up and bar the door, O. "

GIN I WERE WHERE THE GAUDIE RINS

ORD'S *Bothy Ballads*

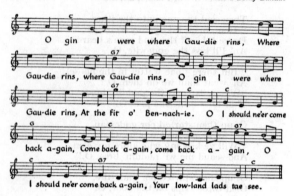

O gin I were where Gaudie rins, Where Gaudie rins, where Gaudie rins, O gin I were where Gaudie rins, At the fit o' Bennachie. O I should ne'er come back again, Come back again, come back again, O I should ne'er come back again, Your lowland lads tae see.

I never had but twa richt lads, but twa richt lads, but
    twa richt lads,
I never had but twa richt lads that dearly loved me.
The teen was killed in the Lourin Fair, the Lourin Fair,
    the Lourin Fair,
The teen was killed in the Lourin Fair, and the ither
    was drooned in the Dee.

Had they gien my lovie man for man, man for man, man
    for man,
Had they gien my lovie man for man, or yet ae man for
    three,
He wudna hae lain sae low the day, sae low the day, sae
    low the day,
He wudna hae lain sae low the day at the foot o' yon
    arn tree.

But they crooded in sae thick on him, sae thick on him,
    sae thick on him,
They crooded in sae thick on him, he could neither fecht
    nor flee.

An' wisna that a dowie day, a dowie day, a dowie day,
An' wisna that a dowie day, a dowie day for me ?

The Dee was flowin' frae bank tae bank, frae bank tae
  bank, frae bank tae bank,
The Dee was flowin' frae bank tae bank when my lovie
  dreed his dree.
An' wisna that a dowie day, a dowie day, a dowie day,
An' wisna that a dowie day, a dowie day for me ?

He bocht for me a braw new goon, a braw new goon, a
  braw new goon,
He bocht for me a braw new goon and ribbons tae busk
  it wi' !
An' I bocht for him the linen fine, the linen fine, the linen
  fine,
An' I bocht for him the linen fine, his winding sheet tae be.

And noo this twice I've been a bride, I've been a bride,
  I've been a bride,
And noo this twice I've been a bride, but a wife I'll never
  be.
Oh, gin I were where the Gaudie rins, where the Gaudie
  rins, where the Gaudie rins,
Oh, gin I were where the Gaudie rins, at the fit o' Ben-
  nachie.

TWA RECRUITIN' SAIRGEANTS

As sung by JEANNIE ROBERTSON

Twa re-cruit-in' sairg-eants cam'frae the Black Watch — To mar-kets and fairs some re-cruits for to catch; An' a' that they list-ed was for-ty an' twa, So list bon-nie lad-die, an' come a-wa'. It is o-ver the moun-tains, and o-ver the main, Through Gib-er-al-ter to France and Spain, Get a feath-er tae your bon-net, and a kilt a-been your knee, An' list bon-nie lad-die an' come a-wa' wi' me.

Oh, laddie, ye dinna ken the danger that ye're in
If your horses wis to fleg an' your ousen wis to rin.
This greedy auld fairmer winna pey your fee,
So list bonnie laddie an' come awa wi' me.

It is intae the barn an' oot o' the byre,
This auld fairmer thinks ye'll never tire,
For it's a slavery job of low degree,
So list bonnie laddie an' come awa wi' me.

Wi' your tatty poorin's an' your meal an' kail
Your soor sowen soorins an' your ill-brewed ale,
Wi' your buttermilk and whey an' your breid fired raw
So list bonnie laddie an' come awa.

Oh, laddie if ye've got a sweetheart an' bairn
Ye'll easily get rid o' that ill-spun yarn
Twa rattles o' the drum an' that'll pey it a'
So list bonnie laddie an' come awa.

FAREWELL TO FIUNARY

ARR. MICHAEL DIACK

REV. NORMAN McLEOD

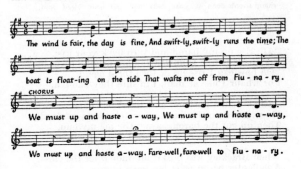

The wind is fair, the day is fine, And swift-ly, swift-ly runs the time; The boat is float-ing on the tide That wafts me off from Fiu-na-ry.

CHORUS

We must up and haste a-way, We must up and haste a-way, We must up and haste a-way. Fare-well, fare-well to Fiu-na-ry.

A thousand, thousand tender ties
Awake this day my plaintive sighs;
My heart within me almost dies
At thought of leaving Fiunary.

But I must leave those happy vales,
See, see they spread the flapping sails!
Adieu, adieu my native dales!
Farewell, farewell to Fiunary.

THE BARON O' BRACKLEY

Tune based on CHRISTIE's *Traditional Ballad Airs*   Collated version

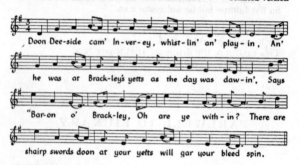

Doon Dee-side cam' In-ver-ey, whist-lin' an' play-in, An' he was at Brack-ley's yetts as the day was daw-in', Says "Bar-on o' Brack-ley, Oh are ye with-in? There are shairp swords doon at your yetts will gar your bleed spin.

" Oh rise up my baron and turn back your kye,
For the lads frae Dumwharran are driving them by "
"Oh how can I rise up or turn them again
For whaur I hae ae man, I'm sure they hae ten."

" Gin, I had a husband as I wat I hae nane,
He widna lie in his bed, an' watch his kye ta'en."
Then up got the baron, says " Gie me my gun,
For I will gyang oot love, tho' I'll never win in."

When Brackley was buskit an' rade ower the closs,
A gallanter baron ne'er lap tae a horse ;
" Come kiss me my Peggy, nor think I'm tae blame,
I weel may gae oot, love, but I'll never win hame."

There cam' wi' fause Inverey thirty an' three,
There was nane wi' bonny Brackley but his brother
    and he.
Twa gallanter Gordons did never sword draw ;
But against three an' thirty, wae is me, what is twa ?

Wi' swords an' wi' daggers they did him surroun'
And they've pierced bonny Brackley wi' mony's the
    woun'.

78

Frae the heid o' the Dee tae the banks o' the Spey,
The Gordons shall mourn him an' ban Inverey.

" Oh cam ye by Brackley's yetts, or was ye in there,
Or saw ye his Peggy a-rivin' her hair ? "
" Oh I cam by Brackley's yetts, an' I was in there,
An' I saw his Peggy—she was makin' gude cheer."

She was rantin' an' dancin' an' singin' for joy
An' vowin' that on that nicht she would feast Inverey
She drank wi' him, laughed wi' him, welcomed him ben,
She kept him till morning wha had slain her gude man.

There's grief in the kitchen but there's mirth in the ha'
For the Baron o' Brackley is deid an' awa'
But up spak his son on the nurse's knee
" Gin I live tae be a man, revengéd I'll be."

'TWAS IN THE TOON O' KELSO

As sung by GEORGE FRASER of Strichen

'Twas in the toon o' Kel-so, A love-ly wo-man did dwell. She loved her hus-band ten-der-ly, But an-o-ther man twice as well. O

CHORUS

fal-did-dle air-y, fal-did-dle air-y, fal-did-dle air-y-ann.

She went into the druggist
Some medicine for to buy
For she had resolved in her own mind
That her husband he should die.

She bought a pound of marrow bone,
And ground it very small,
Before he had the half o' it eaten
He couldn't see ony at all.

" I am tired o' ma life " he cried aloud.
" Oh, I'm tired o' my life.
O I think I'll gang and droon masel'
And that will end the strife."

Down the street together they went,
She whistled and she sang.
" Ma husband is gyain tae droon himsel',
An' am sure he's free from sin."

Down the street together they went,
Till they came to the water's brim.
" O you will tak a great lang race
And help tae ding me in."

O she did tak a great lang race
Tae help tae ding him in,
But the cunning auld nicker he jumpéd aside
And she gaed thunderin' in.

80

" O save ma life, O save ma life,
O save me when I call."
" O how can I come an' save your life
When I can't see any at all ? "

It's she swam up and she swam doon
Till she cam' to the river brim ;
But the carle he took a great lang stick
An' pokit her farther in.

" O tak ye that, ye auld jaud,
Ye thought that I was blind,
But I'll gang whistling hame again
And another wife I'll find."

If any of you my story doubt
And think that I am wrong
You'll find me in the fishing port
At the pier o' Fogieloan.

THE ROVIN' PLOUGHBOY

As sung by JOHN McDONALD of Pitgaveny, Elgin

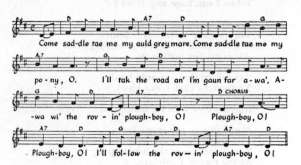

Come sad-dle tae me my auld grey mare. Come sad-dle tae me my po-ny, O. I'll tak the road an' I'm gaun far a-wa', A-wa wi' the rov-in' plough-boy, O! Plough-boy, O! Plough-boy, O! I'll fol-low the rov-in' plough-boy, O!

Last night I lay on a fine feather bed,
Sheets and blankets sae cosy-o,
To-night I maun lie in a cauld barn shed
Row'd in the arms o' my ploughboy-o.

Champion ploughboy my Geordie lad,
Cups and medals and prizes-o,
In bonnie Deveronside there's nane can compare
Wi' my jolly rovin' ploughboy-o.

So fare ye weel tae auld Huntly toon,
Fare ye weel Drumdelgie O,
For noo I'm on the road and I'm gaun far away,
Awa' wi' the rovin' ploughboy-o.

RHYNIE

As sung by JOHN STRACHAN of Fyvie

At Rhy-nie I sheared my first hairst, Near tae the fit o'
Ben-na-chie. My mais-ter was richt ill tae sit, Bur
laith was I tae lose my fee. Lin-ten ad-die
too-rin ad-die, Lin-ten ad-die too-rin ee.

Rhynie's wark is ill tae wark
An' Rhynie's wages are but sma'
And Rhynie's laws are double strict
And that does grieve me warst ava'.

Rhynie, it's a cauld clay hole,
It's far frae like my faither's toon,
An' Rhynie it's a hungry place,
It doesna suit a lowland loon.

But sair I've wrocht an' sair I've focht
An' I hae won my penny fee
An' I'll gang back the gait I cam
An' a better bairnie I will be.

THE LUM HAT WANTIN' THE CROON

David Rorie

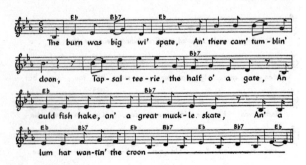

The burn was big wi' spate, An' there cam' tum-blin' doon, Tap-sal-tee-rie, the half o' a gate, An auld fish hake, an' a great muck-le skate, An' a lum hat wan-tin' the croon——

The auld wife stood on the bank,
As they gied swirlin' roon,
She took a guid look, and syne says she,
" There's food an' there's firin' gaun tae the sea,
An' a lum hat wantin' the croon."

So she gruppit the branch o' a saugh,
An' she kickit aff ane o' her shoon,
An' she stuck oot her fit, but it caught in the gate,
An' awa she went wi' the great muckle skate,
An' the lum hat wantin' the croon.

She floated fu' mony a mile,
Past cottage and village and toon,
She'd an awfu' time astride o' the gate,
Though it semed tae 'gree fine wi' the great muckle skate
An' the lum hat wantin' the croon.

A fisher was walkin' the deck,
By the licht o' his pipe and the moon,
When he sees an auld body astride o' a gate,
Come bobbin' alang in the waves wi' a skate,
An' a lum hat wantin' the croon.

" There's a man overboard," cries he ;
" Ye leear," quo' she, " I'll droon.
A man on a board ? It's a wife on a gate,
It's auld Mistress Mackintosh here wi' a skate
An' a lum hat wantin' the croon."

Was she nippit tae death at the Pole ?
Has India bakit her broon ?
I canna tell that, but whatever her fate,
I'll wager ye'll find it was shared by a gate,
An' a lum hat wantin' the croon.

There's a moral attached tae my song,
On greed ye should aye gie a froon,
When ye think o' the wife that was lost for a gate,
An auld fish hake an' a great muckle skate,
An' a lum hat wantin' the croon.

O I AM A MILLER TAE MY TRADE

As sung by LUCY STEWART of Fetterangus

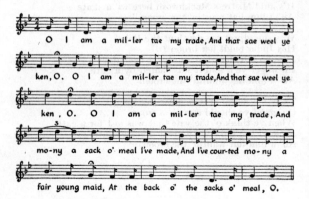

O I am a mil-ler tae my trade, And that sae weel ye ken, O. O I am a mil-ler tae my trade, And that sae weel ye ken, O. O I am a mil-ler tae my trade, And mo-ny a sack o' meal I've made, And I've cour-ted mo-ny a fair young maid, At the back o' the sacks o' meal, O.

O, as merrily as the wheel goes round
The rate sae weel ye ken O
O, as merrily as the wheel goes round
The rate sae weel ye ken O
O, as merrily as the wheel goes round
Wi' grindin' peas and corn O
And a better job was never found
Since ever I've been born O.

O, it happened ae nicht in June
When I was in masel' O
O, it happened ae nicht in June
When I was in masel' O
O, it happened ae nicht in June
The lassie came skippin' down the lane
" I hear your mill clatterin' in
I thocht that I would just look in
To see if you're in yersel' O."

" O, you're welcome here my bonnie lass
You're welcome here for ae O
O, you're welcome here my bonnie lass
You're welcome here for ae O
O, you're welcome here my bonnie lass
And fit's the news that I maun hear—
If you'll consent and bide wi' me
And bide wi' me for ae O."

The laughin' lassie gied a smile
She said she couldnae tell O
The laughin' lassie gied a smile
She said she couldnae tell O
The laughin' lassie gied a smile
She said " Young man ye'll wait a while,
When ye hear yer mill clatterin' in
Ye'll get me tae yersel' O."

O I kissed her lips as sweet as honey
As sweet as honey dew O
O I kissed her lips as sweet as honey
As sweet as honey dew O
O I kissed her lips as sweet as honey
Until a tear cam' in her ee
" Tae leave ma Mammie all for thee,
And bide wi' ye for aye O."

MY PITTENWEEM JO

Words and music by JOHN WATT

Oh I gang wi' a lass frae Pit-ten-weem, She's
ev-ery fish-er lad-die's dream; She guts the her-rin' doon
on the quay, And saves her kiss-es just for me.

TUNE FOR VERSES 2,3,4 and 5.

'Twas in Ju-ly this cam' tae pass, I met this bon-nie
fish-er lass, Wi' her een sae blue an' black her hair, I
met her doon at Anst'-er Fair.

CHORUS

Pit-ten-weem, Pit-ten-weem, She's ev-ery fish-er
lad-dies dream; She guts the her-rin' doon
on the quay, And saves her kiss-es just for me.

Oh I gang wi' a lass frae Pittenweem,
She's every fisher laddie's dream,
She guts the herrin' doon on the quay,
An' saves her kisses just for me.

'Twas in July this cam' tae pass
I met this bonnie fisher lass,
Wi' her e'en sae blue, an' black her hair,
I met her doon at Anster Fair.

Pittenweem, Pittenweem,
She's every fisher laddie's dream,
She guts the herrin' doon on the quay
An' saves her kisses just for me.

Oh I speired at her could I tak her hame?
She said " Oh fine I ken your game,
But ne'er the less you're awfu' kind,
In fact I widny really mind."

Oh I took her hame on the Saturday nicht,
The moon was shinin' oh sae bricht,
An' as we lay there on the grass
I said " Oh Jo, will you be my lass ? "

She's ma lass noo, o' that I ken
She disny look at ither men.
For I was quick an' they were slow,
That's hoo I won my Pittenweem Jo.

THE HAUGHS O' CROMDALE

Tune as sung by HAMISH HENDERSON   *Folk-Song of the North East*

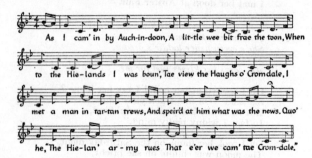

As I cam' in by Auch-in-doon, A lit-tle wee bit frae the toon, When to the Hie-lands I was boun', Tae view the Haughs o' Cromdale, I met a man in tar-tan trews, And speir'd at him what was the news. Quo' he, "The Hie-lan' ar-my rues That e'er we cam' tae Crom-dale."

" We were in bed, sir, every man,
When the English host upon us cam';
A bloddy battle then began
Upon the haughs o' Cromdale.
The English horse they were so rude,
They bathed their hoofs in Highland blood,
But our brave clans they boldly stood
Upon the haughs o' Cromdale.

" But, alas, we could no longer stay,
For o'er the hills we came away,
And sore we did lament the day
That e'er we cam' tae Cromdale."
Thus the great Montrose did say,
" Can you direct the nearest way ?
For I will o'er the hills this day
And view the haughs o' Cromdale."

" Alas, my lord, you're not so strong,
You scarcely have two thousand men,
And there's twenty thousand on the plain,
Stand rank and file on Cromdale."
Thus the great Montrose did say,
" John Hielandman, show me the way
For I will o'er the hills this day
And view the haughs o' Cromdale."

They were at dinner every man,
When great Montrose upon them cam';
A second battle then began
Upon the haughs o' Cromdale.
The Grant, Mackenzie and Mackay,
Soon as Montrose they did espy,
Oh, then they fought most valiantly
Upon the haughs o' Cromdale.

The Macdonalds they returned again,
The Camerons did their standards join,
Macintosh played a bloody game
Upon the haughs o' Cromdale.
The Gordons boldly did advance,
The Frasers fought with sword and lance,
The Grahams they made the heads to dance
Upon the haughs o' Cromdale.

The loyal Stewarts with Montrose
So boldly set upon their foes,
And brought them down with Highland blows
Upon the haughs o' Cromdale.
Of twenty thousand Cromwell's men,
Five hundred fled to Aberdeen,
The rest o' them lie on the plain
Upon the haughs o' Cromdale.

THE SOOR MULK CAIRT

Thomas Johnstone

Oh, I am a coun-try chap-pie, An' I'm serv-in' at Pol-noon, A fairm near tae Eag-les-ham, That fine auld-fash-ioned toon, Whaur wi' the milk each mor-ning, a lit tle af-ter three, We tak' the road richt mer-ri-ly, my auld black horse and me.

CHORUS

Wi' cheeks sae red an' ros-y, And een sae bon-nie blue, Dan-cing an' glan-cing, She pierced me thro' and thro'. She fair-ly won my fan-cy, And stole a-wa' my hert, Dri-vin' in-tae Gles-ca, On a soor milk cairt.

I raised her up beside me an' we soon got on the crack.
I slipped my airm around her waist as by my side she sat ;
I telt the auld auld story while the woods around me rang
Wi' the singing o' the mavis and the blackbird's cheery
sang.
I've heard o' lords an' ladies making love in shady bowers
An' hoo they woo'd an' won amang the roses an' the
flowers ;
But I'll ne'er forget the mornin' wee Cupid threw his dart,
And made me pop the question in the soor mulk cairt.

Since the lassie has consented gin next term-time comes
    roon'
I mean tae buy a harness plaid an' a bonny silken goon.
We're settlin' tae get mairret just aboot next August fair,
When aw oor auld acquaintances I hope tae see them there.
The lass had never had a hurl in a carriage aw her days
Sae when that I proposed tae hae a coach and pair o'
    greys
" Na, na," quo' she, " the siller's scarce, ye ken we canna
    spare't,
An' I'd raither hae the jooglin' o' the soor mulk cairt."

HEY, CA' THRO'

BURNS

Up wi' the carls o' Dy-sart, And the lads o' Buck-ha-ven,

And the kim-mers o' Lar-go, And the lass-es o' Leven.

CHORUS

Hey, ca' thro', ca' thro', for we hae mick-le a-do,

Hey, ca' thro', ca' thro', for we hae mick-le a-do.

We hae tales to tell
And we hae sangs to sing ;
We hae pennies to spend,
And we hae pints to bring.

We'll live a' our days,
And then that comes behin',
Let them do the like,
And spend the gear they win !

THE GYPSY LADDIE

As sung by JEANNIE ROBERTSON   Collated with versions in *Last Leaves*

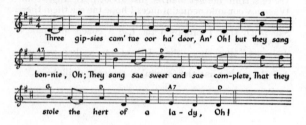

Three gip-sies cam' tae oor ha' door, An' Oh! but they sang
bon-nie, Oh; They sang sae sweet and sae com-plete, That they
stole the hert of a la-dy, Oh!

When she cam' trippin' doon the stair
Her maidens twa afore her O,
They took one look at her weel-faur'd face
An' they cast their spells oot ower her O.

They've gien tae her the nutmeg fine
Likewise a little ginger O,
An' one o' them stepped up by her side,
Stole the gold ring aff her finger O.

It's she's cast aff her bonny silken goon,
Pit on her tartan plaidie O.
An' she gaithered roon her maidens twa
An' they bid fareweel tae their lady O.

When her good lord cam' hame that night
He was speirin' for his lady O.
" Oh, the hounds has run an' the hawks are flown,
An' the gypsy's awa wi' your lady O."

" Gae saddle tae me my bonny black horse
The broon was ne'er sae speedy O,
For I will neither eat nor drink
Till I win back my lady O."

Oh, they rade east and they rade west
An' they rade through Strathbogie O.

94

An' there they spied the bonny lass ;
She was followin' the gypsy laddie O.

" Oh, the very last time that I crossed this river
I had dukes an' lords tae attend me O,
But this night I maun set in my white feet an' wade,
An' the gypsies wadin' a' roon me O."

It's " Will ye gie up your houses an' your land,
Will ye gie up your baby O,
An' will ye gie up your ain wedded lord
An' keep followin' the gypsy laddie O ? "

It's " I'll gie up my houses an' my land,"
It's " I'll gie up my baby O,
For I've made a vow an' I'll keep it true
Tae follow my gypsy laddie O."

There are seven brithers o' us a'
An' o but we were bonny O.
But this very night we a' shall be hanged
For the stealin' o' the Earl's lady O.

He's sent for a hangman oot o' Fife,
An' anither ane oot o' Kirkcaldy O.
An' ane by ane he's laid them doon
For the stealin' o' his lady O.

" Last night I lay on a good feather bed
Wi' my good lord beside me O.
But this night I maun lie in a cauld open van.
Wi' the gypsies lying a' roon me O."

MACPHERSON'S RANT

As sung by JIMMY MCBEATH   Collated with singing of DAVY STEWART

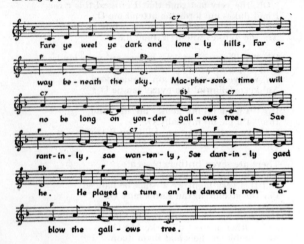

Fare ye weel ye dark and lone-ly hills, Far a-way be-neath the sky. Mac-pher-son's time will no be long on yon-der gall-ows tree. Sae rant-in-ly, sae wan-ten-ly, Sae dant-in-ly gaed he. He played a tune, an' he danced it roon a-blow the gall-ows tree.

It was by a woman's treacherous hand
That I was condemned tae dee.
Upon a ledge at a window she stood
And a blanket she threw ower me.

The Laird o' Grant, that Hieland saunt,
That first laid hands on me.
He pleads the cause o' Peter Broon,
Tae let Macpherson dee.

Untie these bands frae off my hands
An' gie tae me my sword,
An' there's no a man in a' Scotland
But I'll brave him at a word.

For there's some come here tae see me hanged
An' some tae buy my fiddle

96

But before that I do part wi' her
I'll brak her through the middle.

He took the fiddle intae baith o' his hands
An' he brak it ower a stane.
Says no anither hand shall play on thee
When I am deid an' gane.

Farewell my ain dear Highland hame,
Fareweel my wife an' bairns.
There was nae repentance in my hert
When my fiddle was in my airms.

O, little did my mither think
When first she cradled me
That I would turn a rovin' boy
An' die on a gallows tree.

The reprieve was comin' ower the Brig o' Banff,
Tae set Macpherson free.
Bit they pit the clock a quarter afore
An' they hanged him tae the tree.

THE COLLIER LADDIE

As sung by ISABELL HENRY of Auchterarder   From *Scotland Sings*

I've traiv-ell'd east, and I've traiv-ell'd west, And I hae been at Kirk-cald-y; But the bon-ni-est lass that e'er I spied, She was fol-low-in' her col-lier lad-die.

" O, whaur live ye, my bonnie lass ?
Come tell me what they ca' you."
" Bonnie Jean Gordon is my name,
And I'm following my collier laddie."

" O see ye not yon hills and dales
The sun shines on sae brawly :
They a' are mine and they shall be thine,
Gin ye'll leave your collier laddie.

" And ye shall gang in gay attire,
Weel buskit up sae gaudy ;
And ane to wait on every hand,
Gin ye'll leave your collier laddie."

" Though ye had a' the sun shines on,
And the earth conceals sae lawly,
I would turn my back on you and it a'
And embrace my collier laddie."

Then he has gane tae her faither dear,
Tae her faither gane sae brawly.
" Wad ye gie tae me your bonnie lass,
That's following a collier laddie ?

" I'll gie her lands, and I'll gie her rents,
And I'll make her a lady ;
I'll make her one of a higher degree,
Than to follow a collier laddie."

Then he has tae his daughter gane,
Tae his daughter gane sae brawly ;
Says : " Ye'll gae with this gentleman
And forsake your collier laddie."

" I winna hae his lands nor I winna hae his rents,
I winna be his lady ;
I've got gold and gear enough,
And I'm aye wi' my collier laddie."

Her faither then baith vowed and sware :
" Though he be black he's bonnie ;
She's mair delight in him I fear,
Than you wi' a' your money."

" I can win my five pennies a' day,
And spend at nicht fu' brawlie :
And I'll mak' my bed in the collier's neuk
And lie doon wi' my collier laddie.

" Love for love is the bargain for me,
Though the wee cot hoose should haud me,
And the world before me tae win my fee,
An' fair fa' my collier laddie."

THE BONNIE LASS O' FYVIE

Collated from versions in *Folk-Song of the North East*

There was a troop o' I-rish Dra-goons cam' a-mar-chin' doon through Fy-vie, O, An' their cap-tain's fa'n in love wi' a ve-ry bon-nie lass, An' her name it was ca'd pret-ty Peg-gy, O.

Noo there's mony a bonnie lass in the Howe o' Auchter-less,
There's mony a bonnie lass in the Garioch O,
There's mony a bonnie Jean in the toon o' Aiberdeen,
But the floo'er o' them a' is in Fyvie O.

Oh it's " Come doon the stair, pretty Peggy, my dear
Oh come doon the stair, pretty Peggy O,
Oh come doon the stair, kame back your yellow hair,
Tak' a last fareweel o' your daddy O.

" For it's I'll gie ye ribbons for your bonnie gowden hair,
I'll gie ye a necklace o' amber O,
I'll gie ye silken petticoats wi' flounces tae the knee,
If ye'll convoy me doon tae my chaumer O."

" Oh I hae got ribbons for my bonnie gowden hair,
An' I hae got a necklace o' amber O,
An' I hae got petticoats befitting my degree,
An' I'd scorn tae be seen in your chaumer O."

" What would your mammy think if she heard the guineas
    clink,
An' the hautboys a-playin' afore you O?
What would your mammy think when she heard the
    guineas clink,
An' kent you had married a sodger O ?"

100

" Oh a sodger's wife I never shall be,
A sodger shall never enjoy me O,
For I never do intend to go to a foreign land,
So I never shall marry a sodger O."

" A sodger's wife ye never shall be,
For ye'll be the captain's lady O.
An' the regiment shall stand wi' their hats intae their
    hands,
An' they'll bow in the presence o' my Peggy O.

" It's braw, aye, it's braw a captain's lady tae be,
It's braw tae be a captain's lady O.
It's braw tae rant an' rove an' tae follow at his word,
An' tae march when your captain he is ready O."

But the Colonel he cries " Now mount, boys, mount ! "
The captain he cries " Oh tarry, O,
Oh gang nae awa' for anither day or twa,
Till we see if this bonnie lass will marry O."

It was early next morning that we rode awa'
An' oh but oor captain was sorry O.
The drums they did beat owre the bonnie braes o' Gight
An' the band played The Lowlands o' Fyvie O.

Lang ere we wan intae auld Meldrum toon
It's we had oor captain tae carry O.
An' lang ere we wan intae bonnie Aiberdeen,
It's we had oor captain tae bury O.

Green grow the birk upon bonnie Ythanside
An' law lies the lawlands o' Fyvie O,
The captain's name was Ned an' he died for a maid,
He died for the bonnie lass o' Fyvie O.

THE GALLOWA' HILLS

As sung by Jeannie Robertson, chorus collated with Nicholson

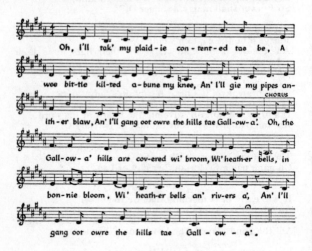

Oh, I'll tak' my plaid-ie con-tent-ed tae be, A wee bit-tie kil-ted a-bune my knee, An' I'll gie my pipes an-ith-er blaw, An' I'll gang oot owre the hills tae Gall-ow-a'. Oh, the Gall-ow-a' hills are cov-ered wi' broom, Wi' heath-er bells, in bon-nie bloom, Wi' heath-er bells an' riv-ers a', An' I'll gang oot owre the hills tae Gall-ow-a'.

For I say bonnie lass it's will ye come wi' me
Tae share your lot in a strange country
For tae share your lot when doon fa's a'
An' I'll gang oot owre the hills tae Gallowa'.

For I'll sell my rock, I'll sell my reel,
I'll sell my granny's spinning wheel,
I will sell them a' when doon fa's a',
An' I'll gang oot owre the hills tae Gallowa'.

THE TWA CORBIES

Based on ancient Breton tune *Al Alarc'h*, arr. R. M. BLYTHMAN

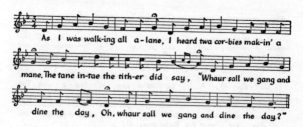

As I was walk-ing all a-lane, I heard twa cor-bies mak-in' a mane. The tane in-tae the tith-er did say, "Whaur sall we gang and dine the day, Oh, whaur sall we gang and dine the day?"

" It's in ahint yon auld fail dyke
I wot there lies a new slain knight ;
And naebody kens that he lies there
But his hawk and his hound, and his lady fair, O.
But his hawk and his hound, and his lady fair.

" His hound is to the hunting gane
His hawk to fetch the wild-fowl hame,
His lady's ta'en anither mate,
So we may mak our dinner swate O,
So we may mak our dinner swate.

" Ye'll sit on his white hause-bane,
And I'll pike oot his bonny blue e'en,
Wi' ae lock o' his gouden hair
We'll theek oor nest when it grows bare, O,
We'll theek oor nest when it grows bare.

There's mony a ane for him maks mane
But nane sall ken whaur he is gane,
O'er his white banes when they are bare
The wind sall blaw for evermair, O,
The wind sall blaw for evermair.

ROTHESAY-O

As sung by JOE KENT

Last Hog-man-ay at Gles-ca Fair, There was me ma-sel' an'
sev'-ral mair, An' we a' re-solved tae hae a terr an'
spend the nicht in Rothe-say, O! We wand-ered thro' the
Broom-ie-law, Thro' wind an' rain, an' sleet an' snaw, An' at
for-ty meen-its ef-ter twa, We got the length o' Rothe-say, O!

CHORUS: A-hir-rum-a-doo, a doo-a-day, A-hir-rum-a-doo-ma
dad-dy-O, A-hir-rum-a-doo, a doo-a-day, The
day we went tae Rothe-say, O!

A sodger lad ca'd Ru'glen Wull,
Wha's regiment's lying at Barnhill,
Gaed aff wi' a tanner tae get a gill
In a public hoose in Rothesay, O.
His regimentals done the trick
He was apprehended gey an' quick—
Baith him an' the whisky got the nick
On the day we went tae Rothesay, O.

Says Rookery Tam " Ah'm gaun tae sing ! "
Says I " Ye'll dae nae sich a thing."
Wi' that he yells oot " Mak' a ring,
An' I'll kill ye a' in Rothesay, O."
Says I, " Sit doon an' go tae . . ." well,
The name o' the place I will not tell,
Says he " Sit doon an' go yersel'—
An' say ye cam' frae Rothesay, O."

104

In search o' ludgin's we did slide,
Tae find a place whaur we could bide ;
There was eichty-twa o' us inside
A single-end in Rothesay, O.
We aw lay doon tae tak oor ease,
When one o' the boys began tae sneeze,
An' he waukened half a million fleas,
In a single-end in Rothesay, O.

There were several different kinds o' bugs,
Some had feet like dyers' clugs,
An' they sat on the bed an' cockit their lugs
An' cried " Hurrah for Rothesay, O ! "
Says I " I think it's time to slope! "
So we went an' jined the Band o' Hope,
But the polis widny let us stop
Anither hoor in Rothesay, O.

BARON JAMES McPHATE

Trad. arr. Hunter

ANDREW HUNTER

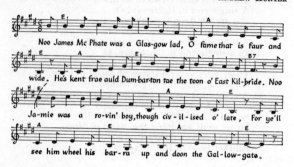

Noo James Mc Phate was a Glas-gow lad, O fame that is faur and wide. He's kent frae auld Dum-bar-ton tae the toon o' East Kil-bride. Noo Ja-mie was a ro-vin' boy, though civ-il-ised o' late, For ye'll see him wheel his bar-ra up and doon the Gal-low-gate.

He'll tell ye o' the wild McPhates wha focht at Preston-pans,
Or the night he focht at Bridgeton Cross wi' a razor in each hand.
But the best tale that I heard him tell I will to you relate——
Hoo Jamie won the title of Baron James McPhate.

It wis at a Rangers-Celtic match I'm sure ye'll a' hae mind.
O' the fighting an' the cursin' in the days o' Aul' Lang Syne.
Noo Jamie was the boy ye ken wha stopped the hulla-baloo.
Intae the Pavilion he did slip afore the game was due.

Says Big McGrory: "I protest, that ba' has an awfu' sheen!"
For one hauf it wis pented blue an' the ither hauf was green.

106

" God's truth," he said, " for boldness, that lad ye canna
   beat."
For the mighty deed wis done by our hero, James Mc-
   Phate.

When the Magistrates o' Glasgow toon had heard o' whit
   he'd done,
They sent a message tae the Press an' a' the bells were
   rung.
The Parliament o' Westminster wi' praises wereny blate.
So Jamie was created First Baron James McPhate.

The Lord Mayor o' London said : " Ai think you've done
   demned well,
England praises all you've done, her pride for you does
   swell ! "
Says Jamie : " If I could only speak, I would unto you
   tell,
That I did the deed for Scotland—aw the rest can go tae
   hell ! "

TURN YE TO ME

John Wilson (Christopher North)

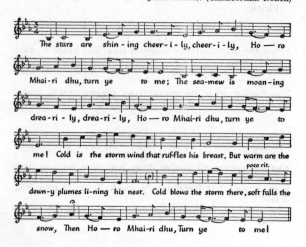

The stars are shin-ing cheer-i-ly, cheer-i-ly, Ho—ro Mhai-ri dhu, turn ye to me; The sea-mew is moan-ing drea-ri-ly, drea-ri-ly, Ho—ro Mhai-ri dhu, turn ye to me! Cold is the storm wind that ruf-fles his breast, But warm are the down-y plumes li-ning his nest. Cold blows the storm there, soft falls the snow, Then Ho—ro Mhai-ri dhu, Turn ye to me!

The waves are dancing, merrily, merrily,
Horo Mhairi dhu, turn ye to me.
The sea birds are wailing, wearily, wearily,
Horo Mhairi dhu, turn ye to me.
Hushed be thy moaning, lone bird of the sea,
Thy home on the rocks is a shelter to thee ;
Thy house is the angry wave, mine but the lonely grave,
Horo Mhairi dhu, turn ye to me.

LOGIE O' BUCHAN

attrib. GEORGE HALKET

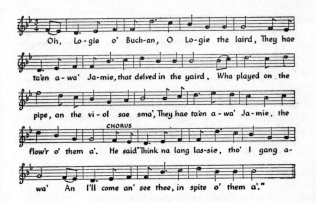

Oh, Lo-gie o' Buch-an, O Lo-gie the laird, They hae ta'en a-wa' Ja-mie, that delved in the yaird, Wha played on the pipe, an the vi-ol sae sma', They hae ta'en a-wa' Ja-mie, the flow'r o' them a'. CHORUS He said "Think na lang las-sie, tho' I gang a-wa' An I'll come an' see thee, in spite o' them a'."

Tho' Sandy has ousen, has gear, and has kye,
A house and a haudin', and siller forbye ;
Yet I'd tak' my ain lad wi' his staff in his hand,
Before I'd hae him wi' his houses and land.

My daddy looks sulky, my minny looks soor,
They frown upon Jamie because he is poor ;
Though I like them as weel as a dochter should do,
They're nae hauf so dear to me, Jamie, as you.

I sit on my creepie and spin at my wheel,
And think on the laddie that lo'ed me sae weel ;
He had but ae saxpence, he brak it in twa.
And he gied me the half o't when he gaed awa'.

O GIN I WERE A BARON'S HEIR

Tune by J. W. HOLDER

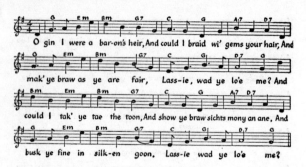

Or should ye be content to prove,
In lowly life unfading love,
A heart that nought on earth could move,
Lassie, would ye lo'e me?
And ere the lav'rock wing the sky,
Say would ye tae the forest hie,
And work wi' me sae merrily,
Lassie, would ye lo'e me?

And when the braw moon glistens o'er
Oor wee bit bield and heathery muir,
Will ye no greet that we're sae puir,
Lassie, for I lo'e ye!
For I hae naught tae offer ye,
Nae gowd frae mine, nae pearl frae sea,
Nor am I come o' high degree,
Lassie, but I love ye!

JAMIE FOYERS

Arr. MacColl

Ewan MacColl

He's gane frae the shipyaird that stands on the Clyde;
His hammer is silent, his tools laid aside;
To the wide Ebro river young Foyers has gane
To fecht by the side o' the people o' Spain.

There wasna his equal at work or at play,
He was strang in the union till his dying day;
He was grand at the fitba', at the dance he was braw,
O, young Jamie Foyers was the floo'er o' them a'.

He cam' frae the shipyaird, took aff his working claes,
O, I mind the time weel in the lang simmer days;
He said " Fare ye weel, lassie, I'll come back again."
But young Jamie Foyers in battle was slain.

In the fight for Belchite he was aye to the fore,
He focht at Gandesa till he couldna fecht more;
He lay ower his machine-gun wi' a bullet in his brain
And young Jamie Foyers in battle was slain.

SKIPPIN' BARFIT THRO' THE HEATHER

As sung by JESSIE MURRAY

From *Scotland Sings*

She wore a gown o' bonnie blue,
Her petticoat was a pheasant colour,
And in between the stripes was seen
Shinin' bells o' bloomin' heather.

Will ye come wi' me, my bonnie lass,
Will ye come wi' me and leave the heather?
Silks and satins ye will wear
If ye come wi' me and leave the heather.

Oh young man, your offer's good,
But sae weel I ken ye will deceive me,
But gin ye tak my hert awa'
Better tho' I'd never seen ye.

GREEN GROW THE RASHES, O

BURNS

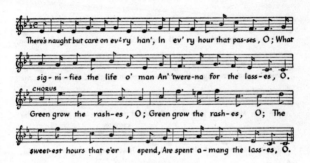

There's naught but care on ev'ry han', In ev'ry hour that pas-ses, O; What sig-ni-fies the life o' man An' 'twere-na for the lass-es, O.

CHORUS

Green grow the rash-es, O; Green grow the rash-es, O; The sweet-est hours that e'er I spend, Are spent a-mang the lass-es, O.

The warldly race may riches chase,
An' riches still may fly them, O ;
An' tho' at last they catch them fast,
Their hearts can ne'er enjoy them, O.

But gie me a cannie hour at e'en,
My arms about my dearie, O,
An' war'ly cares an' war'ly men
May a' gae tapsalteerie, O !

For you sae douce, ye sneer at this ;
Ye're nought but senseless asses, O ;
The wisest man the warld e'er saw,
He dearly lov'd the lasses, O.

Auld Nature swears, the lovely dears
Her noblest work she classes, O ;
Her 'prentice han' she try'd on man,
An' then she made the lasses, O.

SCOTLAND THE BRAVE

Arr. Marion McClurg

Cliff Hanley

Hark, when the night is falling, Hear I hear the pipes are calling, Loudly and proudly calling, down through the glen. There, where the hills are sleeping, now feel the blood a-leaping, High as the spirits of the old Highland men.

CHORUS

Towering in gallant fame, Scotland my mountain hame, High may your proud standards gloriously wave. Land of my high endeavour, land of the shining river, Land of my heart for ever, Scotland the brave.

High in the misty Highlands, out by the purple islands
Brave are the hearts that beat beneath Scottish skies.
Wild are the winds to meet you, staunch are the friends
   that greet you,
Kind as the love that shines from fair maidens' eyes.

Far off in sunlit places, sad are the Scottish faces,
Yearning to feel the kiss of sweet Scottish rain,
Where tropic skies are beaming, Love sets the heart a-
   dreaming,
Longing and dreaming for the Homeland again.

THE RASHIE MOOR

Tune as page 61   From GREIG's *Folk-Song of the North East*

As I cam' thro' yon rashie moor,
Fa spied I in my true love's door ?
My hert grew sair an' my e'en grew blin'
Tae see my bonnie love leave me ahin'.

Oh, are ye gyaun, love, tae leave me noo,
Or will ye gyang, love, tae leave me noo ?
Wad ye forsake your former vow,
An' go wi' the one ye never knew.

As I gaed in by yon water wan,
The brig was broken at yon mill dam ;
I bent my body an' took her through,
But alas, she's gone an' left me noo.

But as I gaed in by yon toon-en'
I saw anither did my love atten',
I took aff my hat an' said Ochone,
The best o' my well days is done.

But I will tell you the reason why—
She's got anither an' that's the wye,
An' I will tell the reason tee—
He has got more gold than me.

But if you love me, love, we'll never part
An' instead o' gold ye will get my heart ;
Ye'll get my heart wi' richt guid-will,
Ye're a bonnie lass, an' I love ye still.

I bent my back unto an oak,
I thocht it was a trusty tree ;
But first it bent and then it broke,
An' sae has my love done tae me.

THE HIGHLAND DIVISION'S
FAREWELL TO SICILY

Tune: *Farewell to the Creeks* arr. JAMES ROBERTSON. HAMISH HENDERSON

The pip-ie is doz-ie, The pip-ie is fey; He wull-nae come roon' for his vi-no the day. The sky ow'r Mess-in-a is un-co and grey, An' a' the bricht chaulm-ers are eer-ie. Then fare-weel, ye banks o' Si-ci-ly, Fare ye weel, ye vall-ey and shaw. There's nae Jock will mourn the kyles o' ye, Puir bli-ddy swa-ddies are wea-ry. Fare-weel, ye banks o' Si-ci-ly, Fare ye weel ye vall-ey and shaw. There's nae hame can smoor the wiles o' ye, Puir bli-ddy swa-ddies are wea-ry. Then doon the stair and line the wa-ter-side, Wait your turn, the ferr-y's a-wa', Then doon the stair and line the wa-ter-side, A' the bricht chaulm-ers are eer-ie.

The drummie is polisht, the drummie is braw—
He cannae be seen for his webbin' ava.
He's beezed himsel' up for a photy an a'
   Tae leave wi' his Lola, his dearie.

Sae fare weel, ye dives o' Sicily
    (Fare ye weel, ye shieling an' ha') ;
We'll a' mind shebeens and bothies
    Whaur kind signorinas were cheerie.

Fare weel, ye banks o' Sicily
    (Fare ye weel, ye shieling an' ha') ;
We'll a' mind shebeens and bothies
    Whaur Jock made a date wi' his dearie.

Then tune the pipes an' drub the tenor drum
    (Leave your kit this side o' the wa').
Then tune the pipes an' drub the tenor drum.
    A' the bricht chaulmers are eerie.

THE ARBROATH TRAGEDY

Words and music by FRED DALLAS

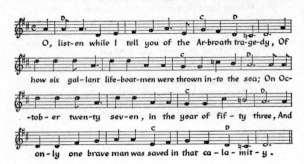

O, list-en while I tell you of the Ar-broath tra-ge-dy, Of how six gal-lant life-boat-men were thrown in-to the sea; On Oc--tob-er twen-ty sev-en, in the year of fif-ty three, And on-ly one brave man was saved in that ca-la-mit-y.

The night was dark and stormy and the lifeboat standing
    by
And all at once a rocket jumped into the angry sky,
The " Robert Lindsay " ventured out to see the reason
    why,
But nothing could they find that night no matter how they
    try.

Four hours they searched that Tuesday morn until the
    light of day
But not a bit of wreckage could they find in Arbroath
    Bay.
" It's home and mugs of cocoa, for us sailors while we may
Or else we'll never see the shore," they heard the Cox'n
    say.

As they came back across the bar it was an awful sight
The lifeboat overturned them in the sea as black as night.
They couldn't reach the shore alive though struggle as
    they might
And only Archie Smith was saved upon that dreadful
    night.

Two brothers sank beneath the waves, a father and a
son.
The bowman, Thomas Adams, went the way that they
had gone.
And when the boat was washed ashore beneath the mor-
ning sun
The Cox'n, David Bruce, was lash'd the steering wheel
upon.

So let's remember all the men who go down to the sea,
And all their wives and sweethearts dear wherever they
may be,
And working men who give their lives in dire necessity,
The fishermen who died that night in Nineteen Fifty-
Three.

THE POACHERS

From ORD's *Bothy Ballads*

Come all ye gall-ant poach-ers that ram-ble void of care, That walk oot on a moon-light night, with your dog, your gun and snare; The harm-less hare and phea-sant you have at your com-mand, Not think-ing on your last car-eer up - on Van Die-man's Land.

'Twas poor Tom Brown from Glasgow, Jack Williams and
poor Joe,
We were three daring poachers, the country well did
know;
At night we were trepanned by the keepers in the sand,
And for fourteen years transported unto Van Dieman's
Land.

The first day that we landed upon this fatal shore
The planters that came round us, full twenty score or
more,
They rank'd us up like horses, and sold us out of hand,
And yok'd us to the ploughs, my boys, to plough Van
Dieman's Land.

The houses that we dwell in here are built of clod and
clay;
With rotten straw for bedding, we dare not say them
nay;
Our cots are fenced with wire, and we slumber when we
can,
And we fight the wolves and tigers which infest Van Die-
man's Land.

There cam' a lass from sweet Dundee, Jean Stewart it
was her name,
For fourteen years transported, as you may know the
same.
Our captain bought her freedom, and married her off-
hand,
And she gives us a' good usage here, upon Van Dieman's
Land.

Although the poor of Scotland do labour and do toil,
They're robbed of every blessing and produce of the soil;
Your proud imperious landlords, if we break their com-
mand,
They'll send you to the British hulks, or to Van Dieman's
Land.

CUTTIE'S WEDDING

Tune as sung by JEANNIE ROBERTSON. PETER BUCHAN'S *Ancient Ballads*

Busk and go, busk and go, Busk and go to Cut-tie's wed-ding; Wha wad-na be the lass or lad, That wad-na gang fan they were bid-den.

Cut-tie he's a lang man, O, he'll ger a lit-tle wi-fie, But he'll tak' on tae the toon loan, Fan she tak's on her fi-kie, fi-kie.

Cuttie he cam' here yestreen,
Cuttie he fell ower the midden;
He wat his hose an' tint his sheen,
Courtin' at a canker'd maiden.

He set him doon upo' the green,
The lass cam' till him wi' ae bidden;
He says " Gin ye were mine, my deem,
Mony ane's be at oor wedding.

122

THE THISTLE O' SCOTLAND

Arr. Moffat   Malcolm MacFarlane (from Gaelic of Evan MacColl)

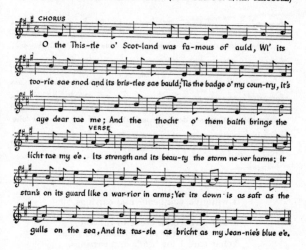

CHORUS

O the This-tle o' Scot-land was fa-mous of auld, Wi' its
too-rie sae snod and its bris-tles sae bauld; Tis the badge o' my coun-try, it's
aye dear tae me; And the thocht o' them baith brings the
licht tae my e'e. Its strength and its beau-ty the storm ne-ver harms; It
stan's on its guard like a war-rior in arms; Yet its down is as saft as the
gulls on the sea, And its tas-sle as bricht as my Jean-nie's blue e'e.

O, my country, what wonder yer fame's gane afar;
For yer sons ha'e been great baith in peace and in war:
While the sang and the tale live they'll win respect,
The lads 'neath the bonnets wi' thistles bedeckt.

Lang syne the invaders cam owre to our shore,
And fiercely our thistle they scutched and they tore;
When they maist thocht it deid, 'twas then it up bore,
And it bloomed on their graves quite as strong as before.

My blessings be yours! Is there Scotsman ava
Wad stan' by and see ony harm on ye fa'?
Is there gentle or semple wha lives in our land
Wad refuse to drink health to the thistle so grand?

MY TRUE LOVE'S A SAILOR

KERR'S *Guild of Play*

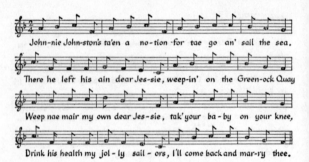

Johnnie Johnston's ta'en a no-tion for tae go an' sail the sea.

There he left his ain dear Jes-sie, weep-in' on the Green-ock Quay

Weep nae mair my own dear Jes-sie, tak' your ba-by on your knee,

Drink his health my jol-ly sail - ors, I'll come back and mar-ry thee.

I will give you beads and earrings,
I will give you diamond stones,
I will give you a horse to ride on
When your true love's dead and gone.
What care I for beads and earrings,
What care I for diamond stones,
What care I for a horse to ride on
When my true love's dead and gone.

124

THE LOWLANDS OF HOLLAND

RITSON'S *Scottish Songs*

My love has built a bonnie ship, and set her on the sea, With
seven score guid mar-i-ners to bear her com-pa-nie. There's
three-score is sunk, and three-score dead at sea, And the
low-lands of Hol-land hae twined my love and me.

My love he built anither ship, and set her on the main,
And nane but twenty mariners for to bring her hame ;
But the weary wind began to rise, and the sea began to
    rout,
My love then and his bonnie ship turn'd withershins about.

There shall neither coif come on my head, nor comb come
    in my hair,
There shall neither coal nor candle light shine in my
    bower mair ;
Nor will I love anither ane, until the day I dee ;
For I never loved a love but ane, and he's drown'd in
    the sea.

Oh haud your tongue, my daughter dear, be still and be
    content ;
There are mair lads in Galloway, ye needna sair lament,
Oh ! there is nane in Galloway, there's nane at a' for me ;
For I never loved a love but ane, and he's drown'd in
    the sea.

THE WHITE COCKADE

RITSON'S *Scottish Songs*

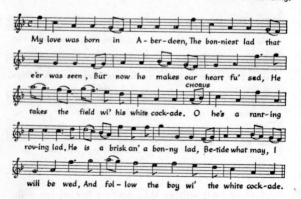

My love was born in A-ber-deen, The bon-niest lad that
e'er was seen, But now he makes our heart fu' sad, He
takes the field wi' his white cock-ade.

CHORUS

O he's a rant-ing
rov-ing lad, He is a brisk an' a bon-ny lad, Be-tide what may, I
will be wed, And fol-low the boy wi' the white cock-ade.

I'll sell my rock, my reel, my tow,
My gude grey mare, and hawkit cow,
To buy mysel' a tartan plaid,
To follow the boy wi' the white cockade.

THE LEA-RIG

BURNS

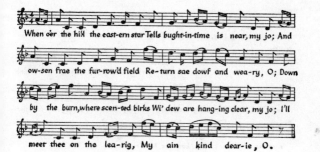

When o'er the hill the east-ern star Tells bught-in-time is near, my jo; And ow-sen frae the fur-row'd field Re-turn sae dowf and wea-ry, O; Down by the burn, where scen-ted birks Wi' dew are hang-ing clear, my jo; I'll meet thee on the lea-rig, My ain kind dear-ie, O.

At midnight hour in mirkest glen
I'd rove, and ne'er be eerie, O,
If thro' that glen I gaed to thee,
My ain kind dearie, O.
Altho' the night were ne'er sae wild,
And I were ne'er sae weary, O.
I'll meet thee on the lea-rig,
My ain kind dearie, O.

The hunter lo'es the morning sun
To rouse the mountain deer, my jo
At noon the fisher takes the glen
Adown the burn to steer, my jo :
Gie me the hour o' gloamin' grey—
It maks my heart sae cheery, O,
To meet thee on the lea-rig,
My ain kind dearie, O.

BONNIE MARY HAY

Tune by R. A. Smith

ARCHIBALD CRAWFORD

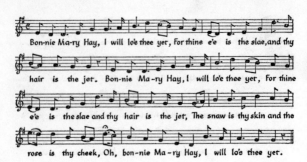

Bon-nie Ma-ry Hay, I will lo'e thee yet, for thine e'e is the slae, and thy hair is the jet. Bon-nie Ma-ry Hay, I will lo'e thee yet, For thine e'e is the slae and thy hair is the jet, The snaw is thy skin and the rose is thy cheek, Oh, bon-nie Ma-ry Hay, I will lo'e thee yet.

Bonnie Mary Hay, will ye gang wi' me,
When the sun is in the west, to the hawthorn tree ?
To the hawthorn tree, in the bonny berry den,
And I'll tell ye, Mary Hay, how I lo'e ye then.

Bonnie Mary Hay, it's holiday to me,
When thou art sae couthie, kind-hearted and free ;
There's nae clouds in the lift, nor storms in the sky,
O Bonnie Mary Hay when thou art nigh.

Bonnie Mary Hay, thou maunna say me nay,
But come to the bower by the hawthorn brae.
But come to the bower, and I'll tell ye a' that's true,
How, Mary, I can ne'er lo'e ane but you.

THE BRAES O' BALQUHIDDER

ROBERT TANNAHILL

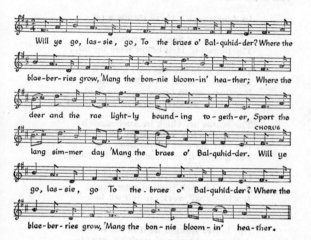

Will ye go, las-sie, go, To the braes o' Bal-quhid-der? Where the
blae-ber-ries grow, 'Mang the bon-nie bloom-in' hea-ther; Where the
deer and the rae light-ly bound-ing to-geth-er, Sport the

CHORUS

lang sim-mer day 'Mang the braes o' Bal-quhid-der. Will ye
go, las-sie, go To the braes o' Bal-quhid-der? Where the
blae-ber-ries grow, 'Mang the bon-nie bloom-in' hea-ther.

I will twine thee a bower
By the clear siller fountain,
An' I'll cover it o'er
Wi' the flowers o' the mountain;
I will range through the wilds,
An' the deep glens sae dreary,
An' return wi' their spoils
To the bower o' my deary.
Will ye go, etc.

Now the summer is in prime,
Wi' the flowers richly bloomin'
An' the wild mountain thyme
A' the moorlands perfumin',—
To our dear native scenes
Let us journey together,
Where glad innocence reigns
'Mang the braes o' Balquhidder.
Will ye go, etc.

THE AUCHENGEICH DISASTER

Tune as page 112   TORMAID

In Auchengeich there stands a pit,
The wheel above, it isna turnin'.
For on a grey September morn
The flames o' Hell below were burnin'.

Though in below the coal lay rich
It's richer noo, for aw that burnin'
For forty seven brave men are deid,
Tae wives an' sweetherts ne'er returnin'.

The seams are thick in Auchengeich,
The coal below is black an' glistening
But och, its cost is faur ower dear,
For human lives there is nae reckoning.

Oh, coal is black an' coal is red,
An' coal is rich beyond a treasure ;
It's black wi' work an' red wi' blood—
Its richness noo in lives we measure.

Oh, better though we'd never wrocht,
A thousand years o' work an' grievin'.
The coal is black like the mournin' shroud
The women left behind are weaving.

First verse repeated.

LORD DONALD

Tune based on *Last Leaves*

Text based on KINLOCH

O whare hae ye been, Lord Don-ald my son?
I've been a-wa' court-in'; mi-ther mak' my bed sune, For I'm

whare hae ye been, my jol-lie young man?
sick at the hert, an' I fain wad lie doon.

What gat ye tae your supper, Lord Donald, my son?
What gat ye tae your supper, my jollie young man?
A dish o' sma' fishes ; mither, mak my bed sune,
For I'm sick at the hert, an' I fain wad lie doon.

What like were your fishes, etc.
Black backs an' spreckled bellies, etc.

O I fear ye are poisoned, etc.
O yes, I am poisoned, etc.

Whit'll ye leave tae your faither, etc.
Baith my houses an' land, etc.

Whit'll ye leave tae your brither, etc.
My horse an' the saddle, etc.

Whit'll ye leave tae your sister, etc.
Baith my gold box an' rings, etc.

Whit'll ye leave tae your true-love, etc.
The tow an' the halter, etc.

THE DOWIE DENS O' YARROW

As sung by WILLIAM MILLER   From *Scotland Sings* (minor alterations)

There was a la-dy in the north, I ne'er could find her mar-row; She was court-ed by nine gen-tle-men, And a ploo-boy lad frae Yar-row.

These nine sat drinking at the wine,
Sat drinking wine in Yarrow;
An' they made a vow amang them aw,
Tae fecht for her on Yarrow.

She's washed his face an' kaimed his hair,
As aft she's done afore O,
An' she's made him like a knight sae bricht,
Tae fecht for her on Yarrow.

As he gaed up yon high, high hills
Doon by the braes o' Yarrow,
It was there he saw nine armed men,
Come tae fecht wi' him on Yarrow.

And three he slew and three they flew,
And three he wounded sairly,
Till her brither John cam' in beyond
And did murder him maist foully.

" Oh faither dear, I dreamed a dream,
A dream o' dule an' sorrow;
I dreamed I wis pu'in' heather bells
On the dowie dens o' Yarrow."

" Oh dochter dear, I read your dream,
I doot it will bring sorrow,
For your ain true love lies pale and wan
On the dowie dens o' Yarrow."

As she gaed up yon high, high hill,
Doon by the houms o' Yarrow;
It was there she saw her ain true love
Lying pale an' wan on Yarrow.

Her hair it being three-quarters lang
The colour it was yellow;
An' she wrapt it roon his middle sae sma'
An' she bore him doon tae Yarrow.

Oh, faither dear, ye've seeven sons,
Ye may wad them a' the morrow,
But the fairest floo'er amang them a'
Was the plooboy lad frae Yarrow."

THE DUSTY MILLER

MAVER'S *Genuine Scottish Melodies*

Hey, the dusty miller,
And his dusty sack !
Leeze me on the calling
Fills the dusty peck ;
Fills the dusty peck,
Brings the dusty siller :
I wad gie my coatie
For the dusty miller.

CHILDREN'S SONGS

The street songs of the city kids are a very far cry from the sweetness of so much " songs for children " as perpetrated by adults. They are tough, sharp, laconic—has there ever ever been a briefer or more complete narrative than " Old Mother Riley ? " They are functional —for skipping, as with " I've a laddie in America," or those endless games involving the passage across the road from one pavement to another. They are highly disrespectful—of persons, of age and of institutions. They are part of all our heritage—" Ma Wee Gallus Bloke " was learned from the national President of a Trade Union !—and they often enshrine our history in their own way. A song which used to say : " Now the war is over, Mussolini's dead " has become " Now the war is over, Vaseline is dead." All is grist for their mill —the Three Wise Men of the East no less than Shirley Temple or " Old Mother Riley ", and even " Rabbie Burns " has become a diver, more romantic an occupation, despite his sticky end, than in being a national poet.

KATIE BAIRDIE

Traditional

Ka-tie Bair-die hid a coo, Black an' white a-boot the mou;
Wis-na that a dain-ty coo, Dance Ka-tie Bair-die.

Katie Bairdie hid a cat,
She could catch baith moose and rat ;
Wisna that a dainty cat ?—
Dance Katie Bairdie.

Katie Bairdie hid a hen,
She could lay baith but an' ben ;
Wisna that a dainty hen ?—
Dance, Katie Bairdie.

Katie Bairdie hid a wife,
She could use baith fork an' knife ;
Wisna that a dainty wife ?—
Dance, Katie Bairdie.

Katie Bairdie hid a wean,
Widna play when it cam' on rain ;
Wisna that a dainty wean ?—
Dance, Katie Bairdie.

THE TOD

Traditional

"Eh", quo' the tod, "It's a braw, licht nicht, The wins in the west an' the mune shines bricht. The wins in the west an' the mune shines bricht, An' I'll a-wa' tae the toun, Oh."

"I was doon amang yon shepherd's scroggs
I'd like tae been worrit by his dogs
But, by my sooth, I minded his hogs
The nicht I cam' tae the toun O."

He's ta'en the grey goose by the green sleeve,
"Eh, you auld witch! nae langer shall ye live;
Your flesh it is tender, your bones I maun prieve
For that I cam' tae the toun O."

Up gat the auld wife oot o' her bed,
An' oot o' the window she shot her auld head:
"Eh, gudeman, the grey goose is dead,
An' the tod's been in the toun, O."

COULTER'S CANDY

ROBERT COLTART

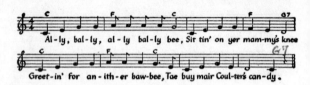

Ally, bally, ally, bally bee, Sittin' on yer mammy's knee Greetin' for an-ither baw-bee, Tae buy mair Coulter's can-dy.

Ally, bally, ally, bally bee,
When you grow up you'll go to sea,
Makin' pennies for your daddy and me,
Tae buy mair Coulter's Candy.

Mammy gie me ma thrifty doon
Here's auld Coulter comin' roon
Wi' a basket on his croon
Selling Coulter's Candy.

Little Annie's greetin' tae
Sae whit can puir wee Mammy dae
But gie them a penny atween them twae
Tae buy mair Coulter's Candy.

Poor wee Jeannie's lookin' affa thin,
A rickle o' banes covered ower wi' skin,
Noo she's gettin' a double chin
Wi' sookin' Coulter's Candy.

I'VE A LADDIE IN AMERICA

Glasgow Skipping Game

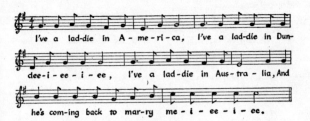

I've a lad-die in A - me - ri - ca, I've a lad-die in Dun-
dee-i - ee - i - ee, I've a lad-die in Aus - tra - lia, And
he's com-ing back to mar-ry me - i - ee - i - ee.

First he took me tae America
Then he took me tae Dundee-i-ee-i-ee,
Then he ran away and left me
Wi' three bonnie bairnies on my knee-i-ee-i-ee.

One was sitting by the fireside
One was sitting on my knee-i-ee-i-ee
One was sitting on the doorstep,
Singing " Daddy, please come back tae me-i-ee-i-ee."

RABBIE BURNS, THE DIVER

As sung by Josh McRae

Glasgow Street Song

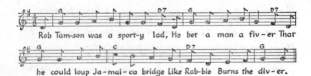

Rob Tam-son was a sport-y lad, He bet a man a fiv-er That he could loup Ja-mai-ca bridge Like Rab-bie Burns the div-er.

The folk that stood aboot the bridge kicked up an awfu'
   shindy
For he fell doon the funnel o' the Clutha Number 20.

A wee bird cam' tae oor ha' door, ah thocht it was a
   sparra
Fur it began tae whistle tae the man they cry O'Hara.

Ah threw the bird a thrupenny bit, ah didny think ah
   hud yin,
The wee bird widny pick it up, because it wis a dud yin.

MA WEE GALLUS BLOKE

Adapt. from singing of Josh Shaw

Oh, ye're ma wee gal-lus bloke nae mair. Oh, ye're ma wee gal-lus bloke nae mair. Wi' yer bell-blue strides, An' yer bun-net tae the side, Oh, ye're ma wee gal-lus bloke nae mair. As I went by the sweet-ie works, Ma hert be-gan tae beat, watch-in' a' the fact'-ry lass-ies walk-in' doon the street, Wi' their flash-y, dash-y pet-ti-coats, Their flash-y, dash-y shawls, Five an' tan-ner gut-ty boots, "Oh we're big gal-lus molls!"

OLD MOTHER RILEY

From children in Rutherglen

Street Song

Old Moth-er Ri-ley at the pawn-shop door,

Ba-by in her arms and a bun-dle on the floor. She

asked for ten bob, she on-ly got tour, And she

near-ly pull't the hin-ges aff the pawn-shop door.

IF YOU WILL MARRY ME

Glasgow Street Song

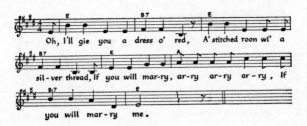

Oh, I'll gie you a dress o' red, A' stitched roon wi' a silver thread, If you will mar-ry, ar-ry ar-ry ar-ry, If you will mar-ry me.

Oh I'll no' tak your dress o' red,
Aw stitched roon' wi' a silver thread,
An' I'll no marry, arry, arry, arry,
An' I'll no marry you.

Well, I'll gie you a silver spoon,
Tae feed the wean in the efternoon,
If you, etc.

Oh I'll no' tak your silver spoon,
Tae feed the wean in the efternoon,
An' I'll no' marry, etc.

Well I'll gie you the keys o' my chest,
An' aw the money that I possess,
If you, etc.

Oh yes I'll tak the keys o' your chest,
An' aw the money that you possess,
An' I will marry, arry, arry, arry,
An' I will marry you.

Oh ma Goad, ye're helluva' funny,
Ye dinna love me but ye love my money,
An I'll no marry, arry, arry, arry,
An' I'll no marry you !

143

QUEEN MARY, QUEEN MARY

KERR'S *Guild of Play*

Queen Mary, Queen Mary, my age is sixteen, My
father's a farmer on yonder green: He's
plenty of money to dress me sae braw, But there's
nae bonnie laddie will tak' me awa'.

One morning I rose and I looked in the glass,
Said I tae myself I'm a handsome young lass,
Put my hands by my side and I gave a Ha Ha!
But there's nae bonnie laddie will tak' me awa'.

OOR CAT'S DEID

Traditional

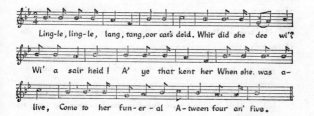

Ling-le, ling-le, lang, tang, oor cat's deid. Whit did she dee wi'? Wi' a sair heid! A' ye that kent her When she was a-live, Come to her fun-er-al A-tween four an' five.

THE CRAW'S TA'EN THE PUSSIE-OH

Traditional

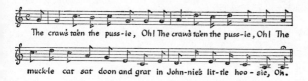

The craw's ta'en the puss-ie, Oh! The craw's ta'en the puss-ie, Oh! The muck-le cat sat doon and grar in John-nie's lit-tle hoo-sie, Oh.

Comin' through the mossy-oh,
Comin' through the mossy-oh,
I lettit oot my puckle meal
An' played awa' my pyockie-oh.

It happened on a Wednesday
A windy windy Wednesday
It happened on a Wednesday
Gin I can richtly mind it-oh.

MA WEE LAUD'S A SOJER

Glasgow Street Song

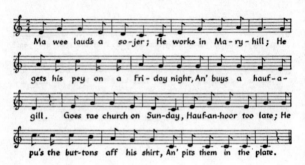

Ma wee lauds a so-jer; He works in Ma-ry-hill; He
gets his pey on a Fri-day night, An' buys a hauf-a-
gill. Goes tae church on Sun-day, Hauf-an-hoor too late; He
pu's the but-tons aff his shirt, An' pits them in the plate.

THE FAIR LADY[1]

Fifty Traditional Scottish Nursery Rhymes

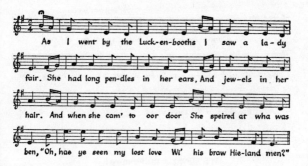

As I went by the Luck-en-booths I saw a lady fair. She had long pen-dles in her ears, And jew-els in her hair. And when she cam' to oor door She speired at wha was ben, "Oh, hae ye seen my lost love Wi' his braw Hie-land men?"

The smile about her bonnie cheek
Was sweeter than the bee ;
Her voice was like the birdie's sang
Upon the birken tree.
But when the meenister cam' oot
Her mare began to prance,
Then rade into the sunset
Beyond the coast of France.

[1]By permission of Messrs. Augener Limited

MA MAW'S A MILLIONAIRE

Glasgow Street Song

Ma maw's a mill-ion-aire! Blue eyes an' cur-ly hair!

Walk-in' doon Buch-an-an Street, Wi' her big ba-na-na feet,

Ma maw's a mill-ion-aire!

Ma Maw's a millionaire!
Blue eyes an' curly hair!
Sitting among the Eskimoes,
Playing a game o' dominoes,
Ma Maw's a millionaire.

Scots, Wha Hae

Tradition had it that the tune *Hey Tuttie Taitie* was the one used by Bruce for the march past of his troops at Bannockburn. Wildly improbable as this is, the tradition had the merit of inspiring Burns to write this song to the tune, and in the process to create what is virtually Scotland's national anthem.

Johnnie Cope

A good example of the journalist song which has survived. It was written immediately after the debacle of Sir John Cope's forces at Prestonpans, in 1745, by Adam Skirving, a farmer near Haddington. Challenged to a duel by a Lieutenant Smith whom he had lampooned in another ballad on the same theme, *Tranent Muir*, Skirving commented " Tell him to come here an' I'll tak' a look at him. If I think I am fit to fecht him, I'll fecht him : if no, I'll do as he did—I'll rin awa.''

Maggie Lauder

Francis was the third of the Sempills, Lairds of Beltrees in Renfrewshire, to win fame as a humorist. His grandfather was Sir James Sempill, author of the sixteenth century satire *Packman's Paternoster* ; his father Robert wrote the famous elegy on Habbie Simpson, *The Piper of Kilbarchan*, which helped to give Scotland and Burns the famous Scots stanza, or, as it is sometimes known, the Habbie Simpson stanza. Francis Sempill has had attributed to him, in addition to *Maggie Lauder*, the roistering and outrageous song, *The Blythsome Bridal*. His authorship of both these songs has been disputed, mainly because it is based on the unconfirmed claims of his grandchildren.

149

Waly, Waly

This first appears in *The Orpheus Caledonius* (1725) in the usual ballad form of four-lined verses. The tune was used by Gay a few years afterwards in his opera *Polly*. *Waly, Waly*, is part of a ballad called *Jamie Douglas*, but, contrary to the whole feel of the song form, the ballad is not about the betrayed and forsaken maid, but of a rejected wife. The story itself is the simple one of the local Iago, one Lawrie, the chamberlain of Lord James Douglas, who falsely accused the lady of adultery. In a version appearing in Christie's *Ballad Airs*, *The Marchioness of Douglas*, the story ends with an unlikely reconciliation. For those who would like to set the song in its ballad form it can be found in various versions and fragments in Child's *Ballads*, vol. 4.

The Barnyards o' Delgaty

One of the best known of all our bothy ballads or corn-kisters. These were, and are, songs made up by the ploughman and farm hands as they foregathered after their day's work. Sitting on the corn chests in the stable they would sing of the daily darg, boasting of their prowess or criticising the farmers. They were essentially communal products, gathering and shedding verses as they passed from farm to farm. This one has become a kind of theme-song of the recent folk-revival among our young people.

The Wee Magic Stane

When the Stone of Destiny was removed on Christmas Day, 1951, from Westminster Abbey it seemed for a time as if all Scotland was busy writing songs about the incident. Some of these songs were pulled together in a small publication called *Sangs o' the Stane* (Scottish Secretariat). Of them all it is *The Wee Magic Stane*, written by Johnnie McEvoy, which has passed most quickly into popular currency.

Jamie Raeburn

There were many transportation ballads circulating in penny sheet form in the earlier part of last century. One of the best known of them all, especially, but not exclusively, in Scotland was *Jamie Raeburn*. He is reputed to have been a baker in Glasgow, sentenced for petty theft, of which, in popular imagination at any rate, he was innocent. See also *The Poachers* (page 120).

The Lichtbob's Lassie

This song is found in two forms in *Folk-Song of the North-East*. One is *The Lea Boy's* (or herd boy's) *Lassie*, the other is *Lichtbob's Lassie*. Hamish Henderson has found references to the lichtbobs as being soldiers, and indeed the references to the red petticoats faced with yellow, as he says, " clinches the fact that the lassie is ' going for a sodger ' ". It is sung to the " I know where I'm going " tune collected in Ireland by Hughes.

The Gaberlunzie Man

The Gaberlunzie Man, the wandering beggar, was as familiar a figure in folk-song as he was on the country roads of Scotland. Tradition attributes this song, as also the ribald *Jolly Beggar*, to James V. It appears first in print, in *The Tea-Table Miscellany* of Allan Ramsay. A second variant developed, however, with a happy ending in the triumphant return of the daughter. We have abridged and combined the two forms as they appear in Greig.

A Pair o' Nicky Tams

This classic corn-kister was written by G. S. Morris. His tune is based on the older *Queer Folk in the Shaws*. Nicky Tams, it should hardly be necessary to say, are the thongs tied around the trouser-leg below the knee.

Kelvin Lass

This song, as with *The Twa Corbies* and *The Lichtbob's Lassie*, is an example of the wedding of a Scottish song with an " alien " tune. But if the author, Dominic Behan, is Irish, the subject of the song, his wife, Josephine, is as Scottish as the Kelvin itself.

An Auld Maid in the Garret

This song, popular all over Scotland and the North of England, sounds as if it were straight out of the Glasgow music-halls of the eighteen-nineties. In fact it goes back to the seventeenth century, to a broadsheet ballad called *The Wooing Maid* by Martin Parker of London. His chorus was :

Come gentle, come simple, come foolish, come witty,
Oh if ye lack a maid, take me for pity.

This still survives in the American version, a striking tribute to the strength of oral transmission.

Will Ye Gang, Love ?

A very beautiful version of a song whose theme is basic to all folk-song. It is related in Scotland to such songs as *The Rashy Moor* and *Waly Waly*, and in America to *The Wild Goose Grasses* and *Careless Love*.

Birnie Bouzle

I first heard this sung by Isabel Sutherland. She had learned it from the singing of Aggie Stewart of Banff. Visiting Aggie in 1960, I was glad to be able to collect two additional verses. The song evidently stems from the *Birnie Bouzle* of James Hogg, but it has changed and developed considerably by oral transmission.

The Rovin' Ploughboy

A song collected by Hamish Henderson and Peter Kennedy. John McDonald from Pitgaveny, near Elgin, is a well-known ballad singer in the North-East. The last verse is his own composition.

O I Am A Miller Tae My Trade

When Kenneth S. Goldstein, the American folklorist, spent a year in Aberdeenshire in 1960, he collected over a hundred and fifty songs and fragments from one of the great singing Stewart family, Lucy Stewart of Fetterangus. This one sounds best when accompanied by a system of hand-beating which imitates the rhythm and clatter of the mill-wheel.

My Pittenweem Jo

In thanking John Watt for permission to print this pleasant little song we must add our regrets that it has not been possible to show all the verse and chorus variations.

The Haughs o' Cromdale

This fine ballad, a version of which can be found in Hogg's *Jacobite Relics*, is perhaps the classic example of the cavalier regard for truth of the partisan ballad writer. The facts of this song seem to be based on two incidents. The first is the Battle of Auldearn in May, 1645, a victory by Montrose, and the second the ignominious defeat of the Jacobites under Colonels Cannon and Buchan at Cromdale in 1690. Not content with running together two incidents which had forty-five years of history between them as taking place within twenty-four hours, the authors neatly reverse the order of events so that the ballad ends with a Jacobite victory.

153

Macpherson's Rant

This is a version of one of the great outlaw ballads of Scotland. No doubt it is descended from the broadsheet ballad from which Burns constructed his *Macpherson's Farewell*. Following a Robin Hood career, Macpherson was captured at Keith Market and executed at the Cross of Banff in 1700. A famous fiddler, he is reputed to have composed and played this rant at his execution before breaking his fiddle and throwing the pieces into the open grave awaiting him. Jimmy McBeath has an alternative opening which is closer to the Burns poem : " Fareweel ye dungeons, dark an' strong, Fareweel, fareweel tae thee . . ."

The Gallowa' Hills

This fine song, for which we are indebted to Jeannie Robertson, is evidently based on *The Braes of Galloway* by William Nicholson, the wandering minstrel of Galloway, who lived and roamed and sang from 1783 to 1849. We have to some slight extent reverted to his chorus in the version printed here. *The Braes of Galloway*, which can be found in *Nicholson's Poetical Works*, is given as sung to *The White Cockade*, and Hamish Henderson suggests that it might in fact be based on an earlier Jacobite song both for that reason and because of the nature of the " departure " comments—" I'll sell my rock " ; " when doon fa's aw "—and indeed throughout the song.

The Twa Corbies

This is one of the greatest of all our ballads. But a ballad is only a ballad when it is sung. It lacked a tune, and I had never heard any successful attempt at providing a setting for it. This tune, an ancient Breton war song, was taught to Morris Blythman by the Breton folk-singer Zaig Montjarrét, and he set the Scottish ballad to it. The result is astonishingly right. There is a curious submerged lilt in the tune which exactly sets the mood of the poem, with the jaunty chatter of the crows as against the macabre theme of their talk.

Rothesay-O

Though this song is possibly music-hall in origin its tune goes back a good deal farther, to the beginning of the last century, when it was used by William Watt in his *Tinkler's Waddin'*.

Jamie Foyers

One of the best of all recent songs in the folk-song idiom. The original Jamie Foyers died in the Peninsular War against Napoleon. Ewan MacColl has in this version, based on the Spanish Civil War of a hundred years later, captured something of the spirit which made so many young men from so many lands volunteer for Spain. And he has recaptured the recurrent note in Scottish song of regret for the young and brave, " Deid in cruel warris."

The Highland Division's Farewell to Sicily

Probably the best of all ballads of World War II, this song exactly recaptured the mood of the time, 1943. Hamish Henderson, authority on folk-song in the School of Scottish Studies, and one of our leading poets, is perhaps best known for his volume *Elegies for the Dead in Cyrenaica*. Incidentally, this song comes straight from the experience of the writer, for he himself went on to the invasion of Italy after Sicily and it was to him that Marshal Graziani surrendered his shattered forces after being captured by Italian partisans.

Cuttie's Wedding

This song is reputed to have been written by a fiddler of the name of Smith who was out as a musician in the Forty-Five. He settled afterwards in Peterhead. Cuttie was the name of the bridegroom at what was known as a " siller " or " penny " wedding. The affair took place in the parish of St. Fergus, according to Peter Buchan, about 1770.

Coulter's Candy

This song probably produced more correspondence than any other when I printed it in " *The Weekly Scotsman* " a few years ago. Robert Coltart—the " Coulter " of the song—made and sold his own candy round all the country fairs and markets in the Borders. Correspondents have described his arrival in a town with his " big lum hat," his candy, and his song. I first learned the song as having only two verses and I added another which now seems to have become absorbed into the song. Another, but imperfect, verse from a correspondent seems to give the best description of all :

> Here comes Coulter doon the street,
> A big lum hat upon his heid,
> He's been roon' aboot a' the toon,
> Singin' an' sellin' candy.

I first heard it from Scots actor, playright and folk-singer, Roddy McMillan.

RECORDED FOLK MUSIC

The following companies, specialising in folk music by traditional singers, have full lists available on request:

Topic Records, 27 Nassington Road, London, N.W.3.
Collector Records, 100 Charing Cross Road, London W.C.2.
"Gaelfonn" (Gaelic Records), 158 George St., Glasgow, C.1.
Scottish Records, 230 Union Street, Aberdeen.
Folkway Records, Collets, 70 New Oxford Street, London.

Recommended Records

JEANNIE ROBERTSON
>An L.P. ("Lord Donald," JFS 4001) and several
>E.P.s by *Collector*. (Especially "The Galloway
>Hills," JES 1)
>"Jeannie's Merrie Muse" (H.M.V.)
>"Great Traditional Singers," No. 1 (*Topic*. L.P.)
>"World's Greatest Folk-Singer" (*Prestige*. L.P.)

JIMMIE MACBEATH
>"Come Aw ye Tramps an' Hawkers"
>(*Collector*. E.P.)

EWAN MACCOLL
>Several L.P.s of the Child Ballads, Jacobite Songs
>(*Riverside*)
>"Streets of Song" (with Dominic Behan) (*Topic*.
>L.P.)
>"The Shuttle and the Cage"—Industrial Ballads
>(*Topic*. L.P.)
>"The Best of Ewan MacColl" (*Prestige*)

THE REIVERS
>"The Work of the Reivers": Vols. 1 and 2
>(*Top Rank*, E.P. possibly also from *Beltona*)

ISABEL SUTHERLAND
>"Kissin's Nae Sin" (with Jimmy McGregor)
>*Talking Books*, 37 Essex Street, London, W.C.2.

JOHN MEARNS
>"Folk Song of the North East"
"Six Scottish Folk Songs" (*Scottish Records*. E.P.s)

INDEX TO SONGS